Rough Guide DIRECTIONS

Dublin

O Guia da Viagem Perfeita

ESCRITO E PESQUISADO POR

Paul Gray e Geoff Wallis

ROUGH GUIDES

PUBLIFOLHA

Sumário

Introdução a Dublin

Embora Dublin seja uma cidade compacta, mais de um quarto dos quase 4 milhões de habitantes da República da Irlanda mora na cidade, que recebe ainda mais de 1 milhão de turistas por ano. Depois de passar séculos no centro da luta do país pela independência da Grã-Bretanha –hoje celebrada nos muitos memoriais em homenagem à luta revolucionária–, Dublin se transformou em uma metrópole moderna e dinâmica, que abraçou o ideal europeu muito mais prontamente do que se poderia esperar.

▸ Portal georgiano

▸ Grattan Bridge

Dividida pelo rio Liffey, centro geográfico e espiritual da cidade, Dublin ostenta uma impressionante herança arquitetônica em suas catedrais e igrejas, castelos e pontes, grandes praças e mansões georgianas.

A rica história da cidade –que vai dos *vikings* aos normandos e depois à invasão inglesa– compõe um cenário de reminiscências, mas Dublin é uma cidade moderna. Boa parte do centro foi remodelada nas últimas décadas, e há quem comente que a única coisa para se ver ali são os

Quando visitar

A não ser que você planeje fazer coincidir sua viagem com algum grande festival (pág. 206), Dublin é sem dúvida melhor na primavera e no início do outono, quando a temperatura em geral é amena e chove menos. Embora os meses mais quentes, julho e agosto, costumem ser também os mais chuvosos, as multidões de turistas podem fazer a cidade parecer um pouco opressiva.

▲ O Liffey à noite

canteiros de obras, pois a cidade está sendo praticamente reconstruída graças à expansão econômica pela qual o país passa. Assim, ao lado dos edifícios e monumentos históricos, descobrem-se novos hotéis e casas noturnas, uma arquitetura moderna incrível e um sistema de bondes de última geração. É esse encontro entre o velho e o novo e a sensação de que a cidade está sempre querendo se antecipar que caracterizam Dublin.

A capital irlandesa vive também um processo sutil e constante de mudança pelo fato de sua população estar ficando menos homogênea. As comunidades de chineses, africanos e europeus do leste vêm crescendo e conduzindo a cidade aos poucos a um multiculturalismo que resulta em uma bem-vinda variedade de restaurantes, lojas e feiras de rua e dá um novo ímpeto à música e à arte.

▼ Sunlight Chambers

Antes voltada para si mesma em busca de inspiração, hoje Dublin olha cada vez mais para o Ocidente e o Oriente, adotando novas tendências e dando-lhes um sotaque decididamente irlandês. Muitas dessas tendências se revelam nas novas lojas, bares, clubes, cafés, restaurantes e galerias do moderno Southside, em especial na área da Grafton Street e do Temple Bar, bairro artístico recentemente remodelado. Contrariando a imagem anterior de desleixo e po-

Horários

As **lojas** do centro costumam abrir das 9h30 ou 10h às 18h, de segunda a sábado, e várias ficam abertas até as 20h às quintas. Algumas também abrem das 12h às 18h aos domingos. Os roteiros deste guia informam quando as lojas fecham um ou mais dias da semana. Os ***pubs*** abrem de segunda a quinta das 10h30 às 23h30, às sextas e aos sábados das 10h30 às 0h30, e aos domingos das 12h às 23h. Os cafés abrem de segunda a sábado das 8h às 18h, e a maior parte do centro abre aos domingos das 9h ou 10h às 18h. Os **restaurantes** geralmente servem almoço até 15h e jantar a partir das 18h. As exceções a estes horários constam nos roteiros de cada capítulo deste guia.

breza, o Northside também vem se recuperando, e hoje conta com inúmeros bares, cafés e restaurantes refinados, particularmente em torno dos cais do Liffey. A leste do centro, de ambos os lados do rio, as antigas docas são o foco do último estágio de remodelação da cidade.

Conhecida pela tradição literária, a cidade produziu escritores excepcionais, como George Bernard Shaw, Oscar Wilde, Samuel Beckett, Brendan Behan e, é claro, James Joyce, o autor cujos romances e contos captaram com mais intensidade a vida e o espírito de Dublin. À literatura se soma uma dramaturgia de alto nível, que antes se concentrava principalmente nos teatros Abbey e Gate, mas hoje abrange todo tipo de eventos e espetáculos experimentais.

Embora mantenha sua herança musical, a cidade promove talentos emergentes em seus diversos locais de espetáculos, que abrem espaço a todos os gêneros musicais. Os amantes da música tradicional estão particulamente bem servidos por uma variedade de *pubs* que ofere-

▲ Doheny and Nesbitt

cem com regularidade apresentações excelentes. Dublin também tem uma vida noturna vibrante, com opções suficientes para deixar os festeiros indecisos na hora de escolher seu programa.

Se você quiser conhecer um pouco mais da Irlanda, é fácil sair de Dublin e visitar atrações próximas, como os fascinantes sítios neolíticos e monásticos ou as exuberantes mansões antes ocupadas pela elite do país. Outra opção é fazer caminhadas nos rochedos: as montanhas enchem os olhos e oxigenam os pulmões.

No entanto, é indiscutível que Dublin se tornou uma das cidades mais caras da Europa; o custo da comida e da bebida ficou especialmente alto nos últimos anos. Embora os preços pareçam às vezes exorbitantes, é possível conhecer a fundo esta cidade estimulante sem provocar um desastre em sua conta bancária. A hospedagem, pelo menos, é um item no qual você pode economizar se fizer reservas com boa antecedência e aproveitar as promoções de meio de semana. A cidade também oferece uma série de atrações gratuitas.

Dublin
EM DESTAQUE

KILDARE STREET E MERRION SQUARE

Com a entrada principal na Kildare Street, a Leinter House, sede do Parlamento Irlandês, é delimitada em seus quatro cantos pelas principais instituições culturais e turísticas do país: o National Museum, a National Library, a National Gallery e o Natural History Museum (atualmente fechado). A leste ficam os gramados da Merrion Square, um local agradável e calmo, rodeado por bem preservados terraços georgianos.

▼ National Gallery

TEMPLE BAR

Circundado pelo rio e pela antiga represa, atual Dame Street, Temple

▲ Temple Bar

Bar se mantém como o eixo da cidade, tanto para a agitada vida noturna como para as artes. Com bares e clubes, restaurantes cosmopolitas, lojas finas e galerias de arte, é provável que você o visite em algum momento da sua estadia.

▲ Museum of Modern Art, em Kilmainham

KILMAINHAM

Bairro de subúrbio situado a oeste da cidade, Kilmainham oferece o que há de novo e de velho na Irlanda em seu Irish Museum of Modern Art, alojado no imponente Royal Hospital e nas austeras instalações penitenciárias da Kilmainham Gaol, um dos edifícios mais representativos da luta da Irlanda pela liberdade.

▼ Farmleigh Gardens

PHOENIX PARK

Quer você deseje apenas fazer um passeio agradável e ver esportes como *hurling*, pólo ou críquete, quer pretenda dar uma volta pelo zoológico, este extenso parque oferece sempre muitas oportunidades de descanso e diversão. A casa Farmleigh, que fica junto ao parque e já foi a suntuosa residência da família Guinness, merece ser incluída em qualquer roteiro.

O INNER NORTHSIDE

Situada junto de alguns dos mais renomados *pubs* de música tradicional de Dublin, esta área remodelada tem agora novas casas noturnas, bares e cafés, lojas, monumentos e edifícios históricos, uma feira agitada, teatros, museus e galerias famosos.

▼ Ônibus na O'Connell Street

▲ Old Library, Trinity College

GRAFTON STREET

Situado no centro da cidade, o Trinity College recebe de bom grado quem queira apreciar sua arquitetura, sua coleção de manuscritos com iluminuras e seus parques. O portão principal fica no final (ou, para alguns, no início) da Grafton Street –de dia, um calçadão comercial; de noite, um local onde beber e passear.

▲ Dublin Castle

ARREDORES DO DUBLIN CASTLE

As relíquias do domínio britânico –o Dublin Castle, o City Hall, as catedrais de Christ Church e St Patrick's– ficam no centro da antiga cidade anglo-normanda, com o destaque da área, a Chester Beatty Library. A South Great George's Street abriga cafés e restaurantes, lojas sofisticadas e alguns bares incríveis.

Destaques

As seis mais

Vagar pelas ruas de Dublin sem objetivo, vendo artistas de rua, praças georgianas e *pubs* tradicionais, e seguindo apenas sua intuição, é um dos grandes prazeres nesta cidade compacta. Mas há algumas coisas que você não pode deixar de ver, como as lembranças do árduo passado colonial em Kilmainham Gaol e as inesperadas belezas orientais da Chester Beatty Library.

▲ Kilmainham Gaol

O famoso Gaol é onde costumavam ficar presos os revolucionários da Irlanda e onde vários foram executados. As visitas evocam as árduas condições penitenciárias do século 19.

PÁG. 126 ▸ LIBERTIES E KILMAINHAM

▲ National Museum

Abriga inúmeras peças pré-históricas de ouro e tesouros cristãos ricamente trabalhados, de deixar de queixo caído.

PÁG. 79 ▸ KILDARE STREET E MERRION SQUARE

▼ Chester Beatty Library

Mostra de fama mundial de peças de arte, manuscritos e gravuras da Europa, Oriente Médio e Extremo Oriente.

PÁG. 108 ▸ DUBLIN CASTLE E ARREDORES

▲ National Gallery

Uma bela mostra da arte européia desde o século 15 –não perca a vibrante coleção de Jack B. Yeats.

PÁG. 81 ▸ KILDARE STREET E MERRION SQUARE

▶ Trinity College

As belas ilustrações do Livro de Kells e o magnífico Long Room na Old Library merecem o lugar de honra entre os tesouros da famosa escola de Dublin.

PÁG. 66 ▸ TRINITY COLLEGE, GRAFTON STREET E ARREDORES

▶ Liffey River

O rio Liffey corta a cidade e inspirou vários artistas e escritores. Um passeio pelo cais é obrigatório para os visitantes.

PÁG. 129 ▸ ARREDORES DA O'CONNELL STREET

Dublin literária

A Irlanda tem rica tradição literária, em grande parte centrada na capital. Muitas das maiores obras do país foram escritas por autores que viviam às vezes um exílio auto-imposto, como foi o caso de Samuel Beckett e James Joyce (pág. 142). Escritores contemporâneos como Roddy Doyle e Joseph O'Connor continuaram a explorar a vida vibrante da cidade, muitas vezes com efeito humorístico.

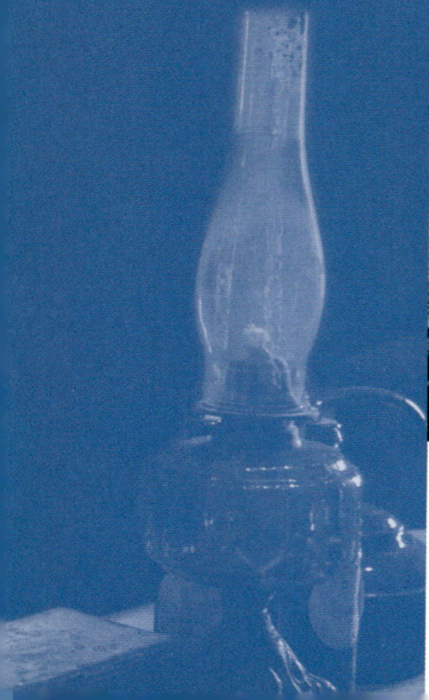

▲ James Joyce Centre
Dedicado a assuntos joycianos, o Centro aborda tanto a vida do autor como suas realizações literárias.

PÁG. 143 ▸ AO NORTE DA PARNELL SQUARE

▲ Dublin Writers Museum
Melhor local para iniciar sua viagem literária pela capital e pelos seus autores.

PÁG. 142 ▸ AO NORTE DA PARNELL SQUARE

▲ James Joyce Museum

Coleção de objetos joycianos na imponente torre Martello que abrigou o personagem de *Ulisses*, Buck Mulligan.

PÁG. 161 ▸ SUBÚRBIOS DO SUL

▲ George Bernard Shaw

O dramaturgo passou a maior parte da vida na Inglaterra, mas morou na Synge Street quando jovem.

PÁG. 90 ▸ DE ST STEPHEN'S GREEN AO GRAND CANAL

▲ Jonathan Swift

O autor da grande sátira *As viagens de Gulliver* foi deão da St Patrick's Cathedral, e está enterrado aqui.

PÁG. 113 ▸ DUBLIN CASTLE E ARREDORES

◀ Bloomsday

Fãs de Joyce celebram o 16 de junho, dia em que se passa o romance *Ulisses*, e muitos seguem os passos dos personagens, alguns vestidos a caráter.

PÁG. 142 ▸ AO NORTE DA PARNELL SQUARE

Sabores de Dublin

A reputação da culinária de Dublin cresce a cada dia, embora às vezes os preços sejam bem altos. Os prazeres da moderna cozinha irlandesa (assim como os melhores locais para tomar uma Guinness) são abordados em outra parte deste guia, mas há muitas delícias tradicionais que não vão comprometer seu orçamento e deixarão a cidade gravada em sua memória.

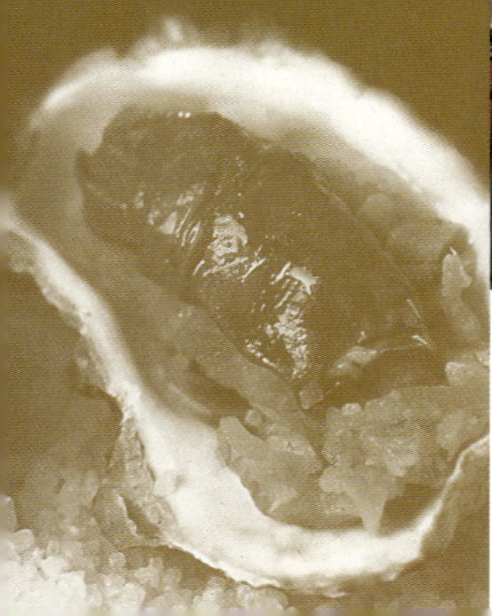

▲ **Hot port**

Entre em um *pub* tradicional junto à Grafton Street, ou em qualquer bom bar de Dublin, e prove esta bebida de inverno, com limão e cravo.

PÁG. 75 › TRINITY COLLEGE, GRAFTON STREET E ARREDORES

▲ **Leo Burdock's**

O peixe empanado e as batatas fritas crocantes (*fish and chips*) deste local de prestígio em Dublin são insuperáveis.

PÁG. 117 › DUBLIN CASTLE E ARREDORES

▼ Old Jameson Distillery

Aprenda os segredos da fabricação do uísque e prove um pouco do destilado.

PÁG. 150 ▸ DA CAPEL STREET A COLLINS BARRACKS

▼ Porterhouse

Prove a premiada linha de cervejas caseiras –*stouts*, *lagers* e *bitters*.

PÁG. 103 ▸ TEMPLE BAR

▲ Sheridan's

Sinta os sabores e aromas do melhor local de queijos irlandeses de Dublin.

PÁG. 71 ▸ TRINITY COLLEGE, GRAFTON STREET E ARREDORES

▲ King Sitric's Fish Restaurant, Howth

Ostras, mexilhões, lagostas e peixe –para terminar bem o passeio em Howth Cliff Walk.

PÁG. 171 ▸ SUBÚRBIOS DO NORTE

Dublin musical

Seja qual for o seu gosto musical, você vai encontrar boas opções em Dublin. Há muitos *pubs* com música tradicional, em geral de altíssima qualidade, e muitos outros locais, dos pequenos aos megabares, que oferecem jazz, blues e o som de bandas de rock em ascensão. Também há uma vasta programação cultural, de pequenos eventos a grandes shows, e vários locais para concertos de música clássica.

▲ J. J. Smyth's

Este bar na Aungier Street é o endereço certo de Southside para quem quer ouvir blues e jazz-fusion em Dublin.

PÁG. 121 ▸ DUBLIN CASTLE E ARREDORES

▲ Temple Bar Music Centre

Local especialmente construído para espetáculos, com justificada fama de abrigar bandas e cantores alternativos.

PÁG. 104 ▸ TEMPLE BAR

▼ Crawdaddy

Um dos melhores locais pequenos da cidade, com várias bandas e cantores se apresentando ao vivo.

PÁG. 94 ▸ DE ST STEPHEN'S GREEN AO GRAND CANAL

▼ National Concert Hall

Abriga os maiores concertos de música erudita da cidade e outros eventos musicais importantes.

PÁG. 205 ▸ DICAS DE VIAGEM

▲ U2

A banda é o maior sucesso musical da Irlanda no exterior e o cantor Bono, um dos embaixadores políticos mais poderosos do país. Nos seus primórdios, a banda tocou em pequenos locais na cidade, incluindo o Project Arts Centre.

PÁG. 96 ▸ TEMPLE BAR

▲ Cobblestone

Uma das melhores casas para ouvir música tradicional na cidade e para saborear as cervejas locais.

PÁG. 153 ▸ DA CAPEL STREET A COLLINS BARRACKS

Dublin georgiana

No período de prosperidade do século 18, Dublin viveu seu auge arquitetônico: a partir de 1757, os *wide streets commissioners* supervisionaram a construção de praças e alamedas arborizadas que caberiam muito bem numa capital européia atual. Arquitetos e artesãos famosos foram trazidos para trabalhar em edifícios públicos e residências. Mas vieram tempos difíceis com a transferência do poder político para Londres em 1801, e foi esta estagnação econômica que permitiu a sobrevivência de extensas áreas de arquitetura georgiana até nossos dias.

▲ **Fitzwilliam Square**

Praça do final do período georgiano, em escala mais intimista que outros exemplos da cidade, já abrigou W. B. Yeats, entre outras celebridades.

PÁG. 91 ▸ DE ST STEPHEN'S GREEN AO GRAND CANAL

▲ **Custom House**

Dominando a orla, o design do magnífico edifício do arquiteto Gandon ostenta numerosos detalhes intricados no exterior e um grande domo.

PÁG. 133 ▸ ARREDORES DA O'CONNELL STREET

▲ Casino de Marino

Talvez o mais belo edifício neoclássico da Irlanda, executado com muita arte e refinamento.

PÁG. 168 ▸ SUBÚRBIOS DO NORTE

▼ Newman House

Veja o incrível trabalho em estuque da primeira universidade católica do país.

PÁG. 88 ▸ DE ST STEPHEN'S GREEN AO GRAND CANAL

▲ Fitzwilliam Street Lower, 29

Vale a pena visitar esta mansão georgiana recriada na esquina da Merrion Square.

PÁG. 84 ▸ KILDARE STREET E MERRION SQUARE

Guinness Pubs

Poucos visitantes deixam Dublin sem provar a bebida local, a cerveja Guinness, mesmo que seja só um copo (“*a glass*”, ou “*a half-pint*”). Ela de fato tem melhor sabor aqui, e há uma rivalidade entre os *pubs* a respeito de quem serve a melhor cerveja (será que é o Ryan’s, cruzando o Liffey depois da cervejaria, ou o Mulligan’s, descendo o rio?). Sempre se deixa a cerveja descansar dois minutos depois de encher metade da caneca, e não importa o tamanho da sua sede, você deve deixá-la descansar de novo depois que tiver sido servida.

▲ **Ryan’s**

Há tempos disputa com o Mulligan’s a fama de ter a melhor cerveja da cidade. Fica na Parkgate Street, e é prático para quem vai ao Phoenix Park ou volta dele.

PÁG. 158 ▸ PHOENIX PARK

▲ **The Palace Bar**

Tome uma das melhores Guinness de Dublin no animado bar ou no salão dos fundos, tranquilo, com teto de vidro.

PÁG. 76 ▸ TRINITY COLLEGE, GRAFTON STREET E ARREDORES

▲ **The Long Hall**

Atendimento amistoso, boa decoração e chope muito bem tirado.

PÁG. 121 › DUBLIN CASTLE E ARREDORES

▼ **The Gravity Bar**

No 7º andar da Guinness Storehouse, há literalmente a chance de você ficar "alto" e de curtir a cerveja que faz o menor trajeto da fábrica até o bar.

PÁG. 124 › LIBERTIES E KILMAINHAM

▼ **Mulligan's**

Com personalidade, é um refúgio de jornalistas do *Times* irlandês, e assegura ter a melhor cerveja da cidade.

PÁG. 76 › TRINITY COLLEGE, GRAFTON STREET E ARREDORES

Monumentos fúnebres

Poucas capitais expressam tão bem a história de seu país como Dublin. Eventos e seus protagonistas parecem reviver nos locais em que são celebrados, e evocam as diversas correntes religiosas –católica, anglo-irlandesa e até protestante francesa– do passado da cidade.

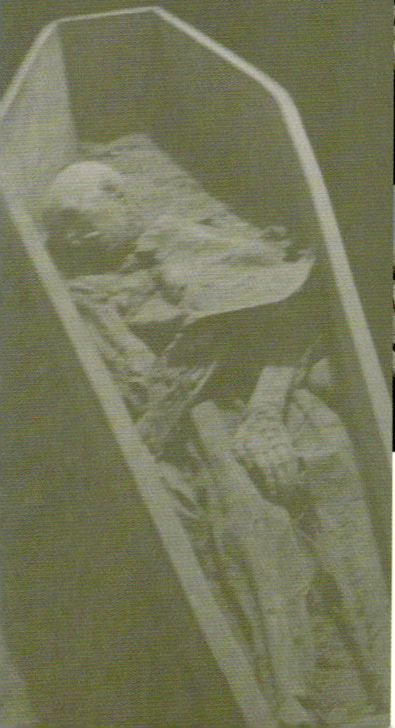

▲ **Glasnevin Cemetery**

Visite o cemitério nacional da Irlanda e tome o tradicional drinque dobrando a esquina no Kavanagh's, também conhecido como Gravediggers ("Coveiros").

PÁGS. 167 E 172 ›
SUBÚRBIOS DO NORTE

▲ **Monumentos na St Patrick's Cathedral**

Relíquias da história protestante da cidade, como um bronze do crânio de Jonathan Swift e grandioso memorial para a mãe do médico Robert Boyle.

PÁG. 113 ▸ DUBLIN CASTLE E ARREDORES

▼ **Cemitério Huguenote**

Um pequeno e bem cuidado tributo aos esforçados imigrantes do século 17.

PÁG. 87 ▸ DE ST STEPHEN'S GREEN AO GRAND CANAL

▲ **St Michan's Church**

Faça um passeio pela sombria cripta e pelos seus restos mumificados.

PÁG. 148 ▸ DE CAPEL STREET A COLLINS BARRACKS

▲ **Irish Famine Memorial**

As rústicas figuras de bronze de Rowan Gillespie foram encomendadas para celebrar o 150º aniversário do pior ano da Grande Fome. Mais de um milhão de pessoas morreram entre 1845 e 1849 e muitas outras tiveram de emigrar.

PÁG. 134 ▸ ARREDORES DA O'CONNELL STREET

Bares e casas noturnas

Dublin tem muitos bares em estilo moderno, alguns com decorações bizarras, e os cais e as ruas em volta são uma das melhores áreas para baladas. A cena *clubber* também é agitadíssima, mas, refletindo o gosto popular, algumas das grandes casas noturnas fecharam nos últimos anos e foram substituídas por outras menores, mais chiques. As ruas a oeste da Grafton Street, e a Harcourt Street, ao sul de St Stephen's Green, são o centro do agito.

▲ Sin É

O nome do bar quer dizer "é isso aí" em irlandês –sem mais explicações. Mas se você procura uma atmosfera propícia, à meia-luz, o lugar é este.

PÁG. 153 ▸ DA CAPEL STREET A COLLINS BARRACKS

▲ Gaiety Theatre

Uma maquiagem de fim de semana transforma este renomado teatro numa das maiores casas noturnas da cidade, com muitos DJs e agito até altas horas.

PÁG. 77 ▸ TRINITY COLLEGE, GRAFTON STREET E ARREDORES

▲ 4 Dame Lane

Braseiros são a marca deste bar-casa noturna com muito estilo, que tem DJs e abre bem tarde da noite.

PÁG. 119 ▸ DUBLIN CASTLE E ARREDORES

▲ Dice Bar

Não se assuste com o interior escuro e taciturno –há muita vida neste local e excelente música.

PÁG. 152 ▸ DA CAPEL STREET A COLLINS BARRACKS

▲ Anséo

Este despretensioso bar na Camden Street é o DJ bar da hora em Dublin.

PÁG. 93 ▸ DE ST STEPHEN'S GREEN AO GRAND CANAL

▼ Rí Rá

Já existe há tempos –e a noite Strictly Handbag, às segundas, é a mais quente.

PÁG. 121 ▸ DUBLIN CASTLE E ARREDORES

Igrejas de Dublin

A cidade de Dublin não é um paraíso para especialistas em arquitetura religiosa. Embora o cristianismo tenha tido forte presença aqui desde o século 5º, quando St Patrick batizou os convertidos num poço próximo à sua atual catedral, os melhores vestígios do primitivo cristianismo ficam bem ao sul da cidade, em Glendalough. O atrativo das igrejas de Dublin está nas histórias que as pedras e artefatos contam, dos altos e baixos da sorte de St Audoen à miraculosa sobrevivência de Nossa Senhora de Dublin.

▲ Whitefriar Street Carmelite Church

Igreja católica dedicada a N. S. de Dublin, uma das poucas estátuas de madeira pré-Reforma que sobreviveram no país; também abriga os restos mortais de São Valentino.

PÁG.115 ▸ DUBLIN CASTLE E ARREDORES

▲ Glendalough

A catedral do século 9º é um dos importantes vestígios deste sítio monástico, em uma localização belíssima, tendo ao fundo as Wicklow Mountains.

PÁG. 177 ▸ PASSEIOS DE UM DIA

▲ Christ Church Cathedral

Construída no século 12, mas substancialmente reconstruída no século 19, tem uma interessante mostra de tesouros em sua imensa cripta.

PÁG. 111 › DUBLIN CASTLE E ARREDORES

▼ St Mary's Pro-Cathedral

O renomado Palestrina Choir celebra missa em latim aos domingos.

PÁG. 133 › ARREDORES DA O'CONNELL STREET

▲ St Audoen's

A igreja paroquial que funciona há mais tempo em Dublin atesta a atribulada história da cidade e da Igreja da Irlanda.

PÁG.122 › LIBERTIES E KILMAINHAM

▲ St Patrick's Cathedral

Uma série de relíquias peculiares enfeita a catedral anglicana do país.

PÁG. 113 › DUBLIN CASTLE E ARREDORES

Pubs com reservados

Resistindo às pressões da modernização, muitos *pubs* de Dublin mantiveram seus reservados. Separados por painéis de madeira e vidro, esses paraísos costumam ter uma janela particular para o bar e são perfeitos para trocar confidências. Os *pubs* aqui descritos são ótimos para beber, mesmo que você não consiga um lugar em seus reservados.

▲ Octagon Bar

Bar no Clarence, banhado por luz artificial, da qual você pode se esconder, se quiser, no seu moderno reservado, em forma de banco de igreja.

PÁG. 103 › TEMPLE BAR

▲ Toners

Serviço eficiente e um recanto de vidro junto ao bar, num clima sóbrio, mas acolhedor.

PÁG. 94 › DE ST STEPHEN'S GREEN AO GRAND CANAL

Kehoes

Antiga mercearia, este *pub* tem um lindo bar de mogno e é cheio de objetos bizarros.

PÁG. 76 ▸ TRINITY COLLEGE, GRAFTON STREET E ARREDORES

Doheny and Nesbitt

Pub com clima aconchegante, um pequeno bar na frente, outro maior nos fundos e dois grandes reservados.

PÁG. 93 ▸ DE ST STEPHEN'S GREEN AO GRAND CANAL

The Stag's Head

Enfeitado, com temática masculina e boa Guinness, mas chegue cedo para conseguir mesa no reservado amplo, à meia-luz.

PÁG. 121 ▸ DUBLIN CASTLE E ARREDORES

Dublin rebelde

Aonde quer que você vá em Dublin, sempre encontrará algo ligado aos 700 anos de luta da Irlanda pela independência. Há muitos monumentos na cidade que lembram esse passado: estátuas, como as de Daniel O'Connell e Charles Parnell na O'Connell Street; edifícios estreitamente ligados a momentos-chave da história do país, como o Castelo de Dublin e o General Post Office; e memoriais aos que caíram durante o processo na Parnell Square e em Croppy's Acre.

▲ Daniel O'Connell

Figura-chave na luta pela Emancipação Católica, O'Connell é celebrado em vários monumentos notáveis de Dublin, como este no City Hall.

PÁG.109 ▸ DUBLIN CASTLE E ARREDORES

▲ Robert Emmet

Herói nacional romântico, enforcado após a fracassada rebelião de 1803 e lembrado por seu discurso no cais.

PÁG. 127 ▸ LIBERTIES E KILMAINHAM

▼ Kilmainham Gaol

Os líderes do Levante da Páscoa foram executados aqui –fato que, junto com muitos outros incidentes da história política da Irlanda, é relatado nas galerias do museu.

PÁG. 126 ▸ LIBERTIES E KILMAINHAM

▲ General Post Office

Local do Levante da Páscoa de 1916. Seu pórtico ainda tem marcas de bala.

PÁG. 131 ▸ ARREDORES DA O'CONNELL STREET

▲ Wolfe Tone

Líder da malsucedida rebelião de 1798, apoiada pela França, que se matou na prisão e virou mártir do nacionalismo revolucionário posterior.

PÁG. 87 ▸ DE ST STEPHEN'S GREEN AO GRAND CANAL

Prazeres de Dublin

É fácil gastar muito dinheiro numa estadia em Dublin, que há pouco tempo foi avaliada como a segunda cidade mais cara da Europa. Mas alguns dos prazeres descritos aqui não vão comprometer seu orçamento –embora talvez você tenha vontade de ganhar como um astro do rock para poder ficar na cobertura do Clarence. Vários hotéis abrem seus spas para não hóspedes, com tratamentos e massagens cobrados como opcionais.

▲ Passeio de charrete

Veja as atrações em grande estilo.

PÁG. 87 ▸ DE ST STEPHEN'S GREEN AO GRAND CANAL

▲ Tethra Spa no Merrion Hotel

Refúgio luxuoso que oferece vários tratamentos, sala de aparelhos, piscina decorada com murais de paisagens neoclássicas e saunas de mármore.

PÁG. 190 ▸ HOSPEDAGEM

▲ Restaurant Patrick Gilbaud

Restaurante francês de alta classe, que usa os melhores ingredientes irlandeses sazonais, com almoço por bom preço.

PÁG. 85 ▸ KILDARE STREET E MERRION SQUARE

▼ Cobertura no Clarence

O auge do prazer... piano nos aposentos, banheira aquecida ao ar livre e vistas lindas do rio Liffey.

PÁG. 191 ▸ HOSPEDAGEM

▲ Black Velvet

Este coquetel de champanhe é um desperdício de Guinness, dizem alguns. Aprecie-o no Morrison, admirando o rio, ou no bar de um grande hotel.

PÁG.137 ▸ ARREDORES DA O'CONNELL STREET

Dublin ao ar livre

Com atraentes jardins, elegantes praças e o imenso Phoenix Park, Dublin oferece muito espaço verde para passeios ou piqueniques. Fora da cidade, as praias da baía de Dublin proporcionam belas caminhadas, ou, para os mais fanáticos por água, a chance de um mergulho no mar.

▲ Forty Foot Pool

Piscina natural ideal para um revigorante mergulho –no verão ou no inverno.

PÁG.162 ▸ SUBÚRBIOS DO SUL

▲ St Stephen's Green

Bem no centro, o Green é ótimo para observar pessoas e seus fascinantes monumentos são uma aula de história ao ar livre.

PÁG. 86 ▸ DE ST STEPHEN'S GREEN AO GRAND CANAL

▲ Passeios a pé

Seja para seguir os passos de James Joyce e seus personagens ou para um passeio histórico guiado como o "Dublin Rebelde", a cidade oferece muitos prazeres peripatéticos.

PÁG. 203 ▸ DICAS DE VIAGEM

▲ North Bull Island

Um passeio pela ilha e sua praia de cinco quilômetros, Dollymount Strand, revelará sua rica diversidade de aves –especialmente no inverno– e de flores.

PÁG. 170 ▸ SUBÚRBIOS DO NORTE

▲ Botanic Gardens

O Jardim Botânico tem pedras ornamentais e viveiros; se chover, você pode se abrigar nas estufas vitorianas.

PÁG. 166 ▸ SUBÚRBIOS DO NORTE

▼ Phoenix Park

Maior parque murado da Europa, ex-recinto de caça de Carlos II, tem muito para explorar –o People's Garden, o zoológico ou a Casa Farmleigh, com seus magníficos terrenos.

PÁG. 154 ▸ PHOENIX PARK

Dublin esportiva

O esporte é parte integrante da vida dos irlandeses, ainda mais na capital. Partidas de futebol, e de sua versão gaélica, o *hurling*, e também de rúgbi estão sempre nas tevês dos *pubs* e nas conversas diárias, e os jornais dão muito espaço a essas coberturas. E há também aquele velho hábito irlandês de apostar, tanto nas corridas de cavalos como nas de cachorros.

▲ Maratona de Dublin

A maratona é a maior corrida de rua da Irlanda, realizada todo mês de outubro.

PÁG. 208 ▸ DICAS DE VIAGEM

▲ Rúgbi no Donnybrook

Assista ao melhor do rúgbi irlandês vendo o Leinster enfrentar grandes equipes da Europa no estádio de Donnybrook.

PÁG. 206 ▸ DICAS DE VIAGEM

▲ **Shelbourne Park**

Veja os cães em ação e não perca as conversas e comentários junto à pista.

PÁG. 206 ▸ DICAS DE VIAGEM

▶ **Croke Park**

É o estádio nacional para jogos gaélicos e sedia várias partidas no verão, além das finais da Irlanda em setembro.

PÁG. 206 ▸ AO NORTE DA PARNELL SQUARE

▼ **Corridas de Leopardstown**

Sede da Irish Gold Cup em fevereiro, a pista mais próxima da cidade é ótima para apreciar a paixão local por cavalos.

PÁG. 206 ▸ DICAS DE VIAGEM

Gays e lésbicas

Embora a tolerância em relação à homossexualidade seja maior nos últimos anos, a cena gay e lésbica em Dublin ainda é relativamente tímida, refletindo os séculos de influência católica e postura intolerante. Além de alguns bares em Southside, a área da Capel Street é o epicentro da cena GLS. A Outhouse e a GCN (pág. 209) são as melhores fontes de informação.

▲ The George

O mais antigo e popular bar gay da Irlanda, com muita diversão, e também um lugar tranquilo para tomar cerveja.

PÁG.120 ▸ DUBLIN CASTLE E ARREDORES

▲ Centre Stage Café

Local novo, pequeno e descontraído, com decoração teatral bem adequada.

PÁG. 103 ▸ TEMPLE BAR

▼ The Front Lounge

Sofisticado e tradicional café-bar que atrai gays e héteros.

PÁG. 103 ▸ TEMPLE BAR

▲ Dragon

Reencarnação luxuosa, vagamente oriental de um antigo grande banco, com pista de dança e grande terraço.

PÁG. 120 ▸ DUBLIN CASTLE E ARREDORES

Arte e arquitetura modernas

Embora pequena, a cena de arte moderna é agitada, graças a uma série de espaços de exposição. As principais mostras tendem a focalizar artistas internacionais, mas a arte nativa está ganhando mais espaço. Na arquitetura, as tendências recentes se desviam do mero modernismo funcional e nota-se uma graciosa eloquência em muitas das novas construções, além de uma incrível série de "esculturas de rua", cujo exemplo mais notável é a Dublin Spire, conhecida como The Spike.

▲ Spike

O marco do Northside é a agulha de Ian Ritchie. Com 135 metros, ela reflete a luz do sol e brilha lindamente à noite.

PÁG. 130 ▸ ARREDORES DA O'CONNELL STREET

▲ Gallery of Photography

Vale a pena conferir as mostras de fotos irlandesas e internacionais deste local.

PÁG. 98 ▸ TEMPLE BAR

▲ Irish Museum of Modern Art

O IMMA realiza mostras temporárias, além das que são extraídas de seu extenso acervo de arte moderna da Irlanda e de outros países.

PÁG. 125 ▸ LIBERTIES E KILMAINHAM

▼ Estúdio de Francis Bacon

Apesar de viver em Londres, o pintor Francis Bacon era irlandês. Parte da Hugh Lane Gallery recria seu estúdio e tem uma seleção de pinturas do artista.

PÁG. 141 ▸ AO NORTE DA PARNELL SQUARE

▲ Douglas Hyde Gallery

Galeria atraente e de prestígio para arte contemporânea, no Trinity College.

PÁG. 67 ▸ TRINITY COLLEGE, GRAFTON STREET E ARREDORES

Compras em Dublin

Dublin tem ótimas lojas de CDs e livros, algumas delas especializadas em literatura e música irlandesas. Quem curte moda está bem servido de butiques, joalherias e lojas com o melhor do design irlandês e global. Com tempo bom, vale ir a um mercado ou uma mercearia e se abastecer para um piquenique em uma das lindas praças da cidade.

▲ Hodges Figgis

Atrás desta ornamentada fachada fica a melhor livraria da cidade, cujo forte é a literatura, a história e a cultura irlandesas.

PÁG. 71 ▸ TRINITY COLLEGE, GRAFTON STREET E ARREDORES

▲ Mercado de Temple Bar

Aos sábados, os dublinenses que gostam de comida vêm comprar aqui, de queijos a ostras. Siga o exemplo deles e leve um almoço para viagem.

PÁG. 100 ▸ TEMPLE BAR

▼ Moore Street Market

Confira as bancas e lojas deste mercado eclético, esotérico, que hoje mostra muita variedade étnica.

PÁG. 135 ▸ ARREDORES DA O'CONNELL STREET

▼ Claddagh Records

A loja de música tradicional de Dublin.

PÁG. 99 ▸ TEMPLE BAR

▲ Avoca

Roupa chique irlandesa, artigos de lã, presentes e uma mercearia no subsolo.

PÁG. 70 ▸ TRINITY COLLEGE, GRAFTON STREET E ARREDORES

▲ Brown Thomas

A BT, maior loja de departamentos de Dublin, tem de tudo, de grifes irlandesas a cabeleireiros.

PÁG. 70 ▸ TRINITY COLLEGE, GRAFTON STREET E ARREDORES

Dublin para crianças

Há muita coisa em Dublin para crianças. Além das atrações mostradas aqui, pode-se explorar atividades ao ar livre, com idas ao Phoenix Park ou à orla marítima. A maioria das atrações oferece bons descontos para crianças.

▲ **The Ark**

Inscreva as crianças numa atividade ou performance neste centro cultural especialmente construído para elas.

PÁG. 98 ▸ TEMPLE BAR

▲ Viking Splash

Veículos anfíbios percorrem as principais atrações por terra e depois pelo rio, no passeio mais emocionante da cidade.

PÁG. 203 ▸ DICAS DE VIAGEM

▼ Dublinia e Viking World

Longa série de atividades com muita imaginação, especialmente no verão, revive a Dublin viking da Idade Média.

PÁG. 112 ▸ DUBLIN CASTLE E ARREDORES

▼ Lambert Puppet Theatre

Teatro de marionetes de alto nível para crianças, o ano todo. Espetáculos para adultos durante o festival internacional em setembro.

PÁG. 205 ▸ DICAS DE VIAGEM

▼ Zoológico

Além dos mais diversos animais, como hipopótamos e suricatos, a principal atração de Dublin para as crianças tem ainda uma fazendinha. O programa de reprodução do zôo oferece a oportunidade de ver filhotes recém-nascidos.

PÁG. 154 ▸ PHOENIX PARK

Cozinha irlandesa atual

Nos últimos 15 anos, a qualidade dos ingredientes locais, geralmente fornecidos por produtores artesanais orgânicos, foi redescoberta, de uma maneira que transformou a culinária irlandesa. A carne irlandesa tem uma reputação justa de qualidade; peixes excelentes e todos os frutos-do-mar são fartamente disponíveis; os laticínios e as tradições de panificação têm altíssimo padrão. A ênfase está em técnicas de culinária que, baseadas em receitas tradicionais ou em influências do mundo todo, permitem que os ingredientes falem por si.

▲ Avoca Café

Cozinha criativa de primeira, serviço agradável e preços razoáveis são os destaques deste café superanimado.

PÁG. 72 ▸ TRINITY COLLEGE, GRAFTON STREET E ARREDORES

▲ Ely Wine Bar

Local informal, de bom preço, com comida de ótima procedência, parte dela da fazenda da família em County Clare.

PÁG. 92 ▸ DE ST STEPHEN'S GREEN AO GRAND CANAL

▼ Eden

Se o tempo deixar, sente ao ar livre na Meeting House Square e prove as vieiras West Cork com batata e salada de *bacon*.

PÁG. 101 ▸ TEMPLE BAR

▼ The Tea Room

Alta culinária com ótimos produtos sazonais do país, em ambiente moderno.

PÁG. 102 ▸ TEMPLE BAR

▲ Chapter One

Restaurante no subsolo, com deliciosa mistura de cozinha irlandesa e francesa.

PÁG. 145 ▸ AO NORTE DA PARNELL SQUARE

Vistas de Dublin

Dublin tem poucos edifícios altos, por isso o perfil das Wicklow Mountains é visto com frequência do centro da cidade, ao se olhar para o sul. E, se você estiver em um ponto mais alto, não terá muitos obstáculos para apreciar a paisagem, geralmente dividida pelo rio Liffey, com suas várias pontes. A localização da cidade no centro da magnífica extensão da baía de Dublin não costuma ser devidamente valorizada, mas você pode curti-la ao viajar de DART, particularmente ao ir do centro para o sul.

▲ O'Connell Bridge

Esta ponte tem uma das mais amplas vistas da cidade, abrangendo o leste em direção à Custom House e ao cais em reforma, o oeste ao longo dos Quays até Four Courts, o norte pela agitada O'Connell Street e o sul, rumo ao Trinity College –um bom lugar para se orientar.

PÁG. 129 ▸ ARREDORES DA O'CONNELL STREET

▲ Powerscourt

A agradável geometria dos jardins, com suas estátuas e lago com fonte, combina com o fundo nitidamente triangular da Sugarloaf Mountain.

PÁG. 176 ▸ PASSEIOS DE UM DIA

▲ Smithfield Observation Chimney

Daqui o coração da cidade pode ser visto em miniatura, com incríveis vistas da baía de Dublin a leste.

PÁG. 150 ▸ DA CAPEL STREET A COLLINS BARRACKS

▲ Montes Dalkey e Killiney

Uma curta caminhada entre as estações DART, com lindas vistas da Killiney Bay, das Wicklow Mountains e da cidade.

PÁG. 164 ▸ SUBÚRBIOS DO SUL

▼ Guinness Storehouse

Tome uma cerveja no sétimo andar da torre da Guinness Storehouse e aprecie a vista panorâmica da cidade.

PÁG. 124 ▸ LIBERTIES E KILMAINHAM

Cafés de Dublin

Os irlandeses tomam mais chá do que os ingleses, por isso não surpreende que Dublin tenha tido sempre muitos cafés –com apoio do difundido movimento de abstinência alcoólica e das igrejas. Hoje em dia, é muito comum você encontrar também *baklava as brack* (um delicioso pão doce tradicional com frutas secas e especiarias), acompanhado por um delicado chá ou um espumante *cappuccino*.

▲ **Caffe Cagliostro**

Pequeno local italiano que serve um ótimo café e deliciosos doces, com mesinhas ao ar livre para ver o mundo passar.

PÁG. 135 ▸ ARREDORES DA O'CONNELL STREET

▼ Silk Road Café

Este café cheio de estilo na Chester Beatty Library serve comida árabe, dos deliciosos mussaca e *falafel* a tortas de pão-de-ló e baklava.

PÁG. 117 ▸ DUBLIN CASTLE E ARREDORES

▲ Queen of Tarts

Um desfile de bolos, tortas e outras delícias de dar água na boca.

PÁG. 100 ▸ TEMPLE BAR

▼ Merrion Hotel

Os salões daqui servem um suntuoso chá da tarde e ficam em meio a uma bela coleção de arte irlandesa, junto de agradáveis jardins.

PÁG. 190 ▸ HOSPEDAGEM

▲ La Maison des Gourmets

Excelentes doces franceses tradicionais, em um salão de chá elegante e arejado.

PÁG. 72 ▸ TRINITY COLLEGE, GRAFTON STREET E ARREDORES

Teatro e cinema

Amantes do teatro têm muitas opções em Dublin. Ao lado dos clássicos irlandeses e de obras mais novas de dramaturgos como Brian Friel, numerosos teatros menores e centros de artes oferecem produções mais experimentais. Também há grandes festivais em setembro e outubro (pág. 207). Os cinéfilos estão bem atendidos por vários cinemas do grande circuito e por um centro para lançamentos independentes. Há um festival internacional em fevereiro, além do GAZE em agosto, com foco gay (pág. 207).

▲ **Abbey Theatre**

O teatro mais renomado da Irlanda oferece programação variada de peças clássicas e contemporâneas.

PÁG. 132 ▸ ARREDORES DA O'CONNELL STREET

▲ The Helix

Este teatro moderno atende ao gosto popular, oferecendo de musicais a espetáculos de patinação no gelo, de bandas de rock a balé.

PÁG. 172 ▸ SUBÚRBIOS DO NORTE

▼ Gate Theatre

O principal rival do Abbey também é sede de sofisticadas produções de peças européias.

PÁG. 139 ▸ AO NORTE DA PARNELL SQUARE

▲ Project Arts Centre

Nascido como um projeto de arte no *foyer* do Gate Theatre, este foco da cena de artes contemporânea abriga teatro experimental, filmes, música e dança.

PÁG. 98 ▸ TEMPLE BAR

▲ Irish Film Institute

Melhor cinema de Dublin, exibe os principais lançamentos do mundo todo, e é um agitado pólo social da cidade.

PÁG. 98 ▸ TEMPLE BAR

Festivais

Dublin sedia inúmeros festivais durante o ano. As artes são particularmente favorecidas, com grandes eventos dedicados ao teatro, cinema, música e literatura como parte do calendário fixo. Também há muita coisa para crianças, como a festa de St Patrick e uma série de eventos no bairro de Temple Bar.

▲ St Patrick's Day

Cinco dias de diversão por volta de 17 de março, com um desfile no dia 17, comemoram o dia do padroeiro da Irlanda.

PÁG. 206 ▸ DICAS DE VIAGEM

▼ Docklands Maritime Festival

Navios visitam Dublin e há muita diversão no cais, como feiras de rua e muitos eventos para crianças.

PÁG. 207 ▸ DICAS DE VIAGEM

▼ Eventos de verão em Temple Bar

O "Diversions" é uma série de eventos gratuitos de verão em Temple Bar, com cinema ao ar livre e música ao vivo.

PÁG. 207 ▸ DICAS DE VIAGEM

▲ Festival Dún Laoghaire de culturas do mundo

Programação de eventos internacionais no último fim de semana de agosto dá vida nova à cidade.

PÁG. 207 ▸ DICAS DE VIAGEM

▼ Dublin Horse Show

Cinco dias de shows de equitação em agosto, com astros internacionais.

PÁG. 207 ▸ DICAS DE VIAGEM

Dublin grátis

Embora Dublin seja uma cidade cara, há muitas atrações gratuitas para poupar seu bolso. Alguns locais importantes, como a National Gallery (pág. 81) e o National Museum (pág. 79), não cobram ingresso, exceto para eventos especiais. Também há muitas opções de entretenimento de rua e ao ar livre, especialmente no verão.

▲ House of Lords

Vale a pena vir às terças para uma visita guiada gratuita e conhecer o destino do Parlamento Irlandês no século 18, atualmente um banco.

PÁG. 68 ▸ TRINITY COLLEGE, GRAFTON STREET E ARREDORES

▲ Feira de cavalos em Smithfield

Esta feira de cavalos existe há mais de 300 anos. Acontece no primeiro domingo do mês e tem sempre bons negócios.

PÁG. 149 ▸ DA CAPEL STREET A COLLINS BARRACKS

▼ Collins Barracks

Sede do acervo de artes decorativas da National Gallery, Collins Barracks oferece excelente entretenimento.

PÁG. 151 ▸ DA CAPEL STREET A COLLINS BARRACKS

▼ National Library

Tem importantes exposições literárias e uma majestosa sala de leitura.

PÁG. 80 ▸ KILDARE STREET E MERRION SQUARE

▲ Farmleigh

Esta esplêndida estufa é um dos destaques da mansão Farmleigh, uma das mais luxuosas da cidade.

PÁG. 157 ▸ PHOENIX PARK

▲ Artistas da Grafton Street

Você pode tanto encontrar um homem com um *bodhrán* como um quarteto de cordas, tudo de graça –fora talvez algumas moedas no chapéu.

PÁG. 68 ▸ TRINITY COLLEGE, GRAFTON STREET E ARREDORES

Área por área

Trinity College, Grafton Street e arredores

Como uma cidadela acadêmica cercada de muros, o Trinity College ocupa uma área surpreendentemente grande do centro de Dublin. Os visitantes podem passear à vontade por suas tranquilas quadras e parques, mas sua atração principal é o glorioso Livro de Kells. Em frente, perto do local do monte achatado que foi o assentamento viking de Dublin, fica a antiga sede do Parlamento, hoje uma filial particularmente ornamentada do Banco da Irlanda. Bem perto dessas augustas instituições, a rua comercial mais frenética da cidade, a Grafton Street, sai em direção a St Stephen's Green. Aqui e nas ruas circundantes, você encontra as lojas e butiques mais elegantes e sofisticadas de Dublin, especialmente no shopping center Powerscourt Townhouse, que fica numa mansão georgiana reformada. É a área de Dublin que concentra o maior número de *pubs* tradicionais, além de uma grande variedade de excelentes cafés e restaurantes, e só à noite é que ela fica um pouco mais tranquila.

College Green

Quando o Trinity College foi fundado, era uma série de campos abertos fora dos muros da cidade, mas hoje o College Green é um dos locais mais agitados de Dublin. Amparados pela majestosa lateral oeste do Trinity e pela fachada curva do Banco da Irlanda, carros e pedestres passam por uma fileira de **estátuas**, a maioria de antigos alunos da escola: as estátuas do filósofo e político do século 18, Edmund Burke, e do escritor Oliver Goldsmith ficam de ambos os lados da entrada principal da escola; a do político Henry Grattan (1746-1820) junto do banco; e no meio do intenso tráfego do alto da Dame Street, a do nacionalista e poeta

▼ ESTÁTUA DE EDMUND BURKE

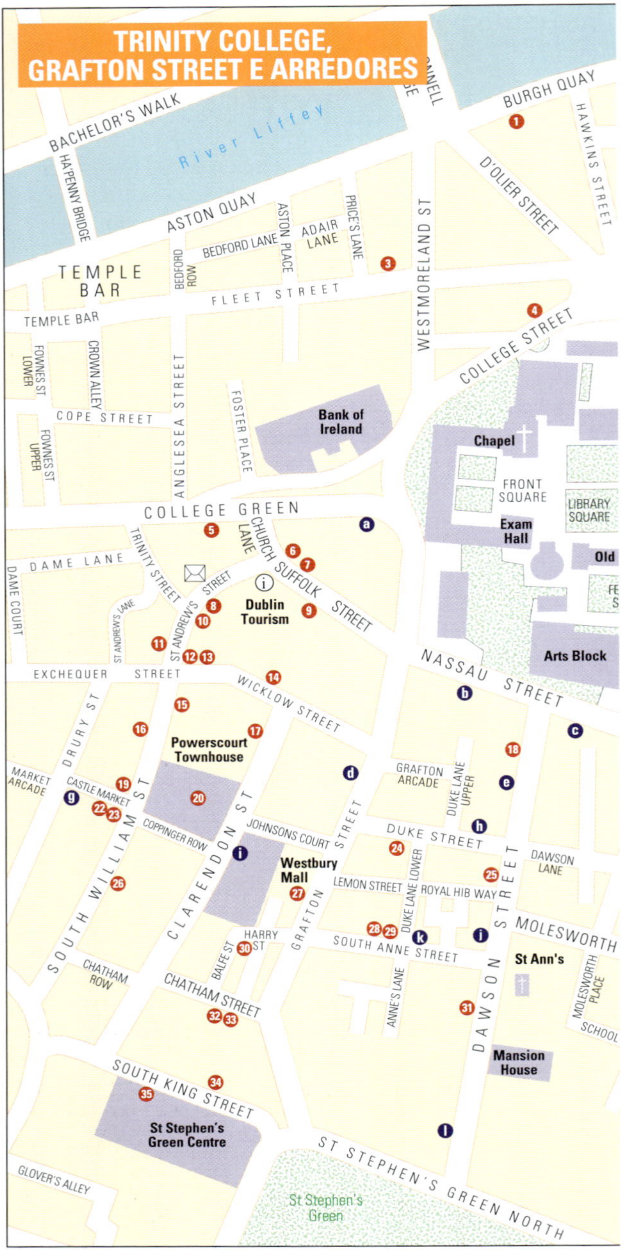
TRINITY COLLEGE, GRAFTON STREET E ARREDORES
BURGH QUAY
BACHELOR'S WALK
River Liffey
HA'PENNY BRIDGE
ASTON QUAY
HAWKINS STREET
D'OLIER STREET
TEMPLE BAR
BEDFORD ROW
BEDFORD LANE
ASTON PLACE
ADAIR LANE
PRICE'S LANE
WESTMORELAND ST
FLEET STREET
TEMPLE BAR
FOWNES ST LOWER
CROWN ALLEY
ANGLESEA STREET
FOSTER PLACE
COLLEGE STREET
Bank of Ireland
COPE STREET
FOWNES ST UPPER
Chapel
FRONT SQUARE
LIBRARY SQUARE
Exam Hall
Old
COLLEGE GREEN
CHURCH LANE
DAME LANE
TRINITY STREET
SUFFOLK STREET
DAME COURT
ST ANDREW'S LANE
ST ANDREW'S STREET
Dublin Tourism
Arts Block
NASSAU STREET
EXCHEQUER STREET
WICKLOW STREET
DRURY ST
Powerscourt Townhouse
MARKET ARCADE
CASTLE MARKET
GRAFTON ARCADE
DUKE LANE UPPER
COPPINGER ROW
JOHNSONS COURT
DUKE STREET
SOUTH WILLIAM ST
CLARENDON ST
GRAFTON STREET
Westbury Mall
LEMON STREET
DUKE LANE LOWER
ROYAL HIB WAY
DAWSON LANE
DAWSON STREET
MOLESWORTH
HARRY ST
SOUTH ANNE STREET
BALFE ST
St Ann's
CHATHAM ROW
CHATHAM STREET
ANNE'S LANE
MOLESWORTH PLACE
SCHOOL
Mansion House
SOUTH KING STREET
St Stephen's Green Centre
ST STEPHEN'S GREEN NORTH
GLOVER'S ALLEY
St Stephen's Green

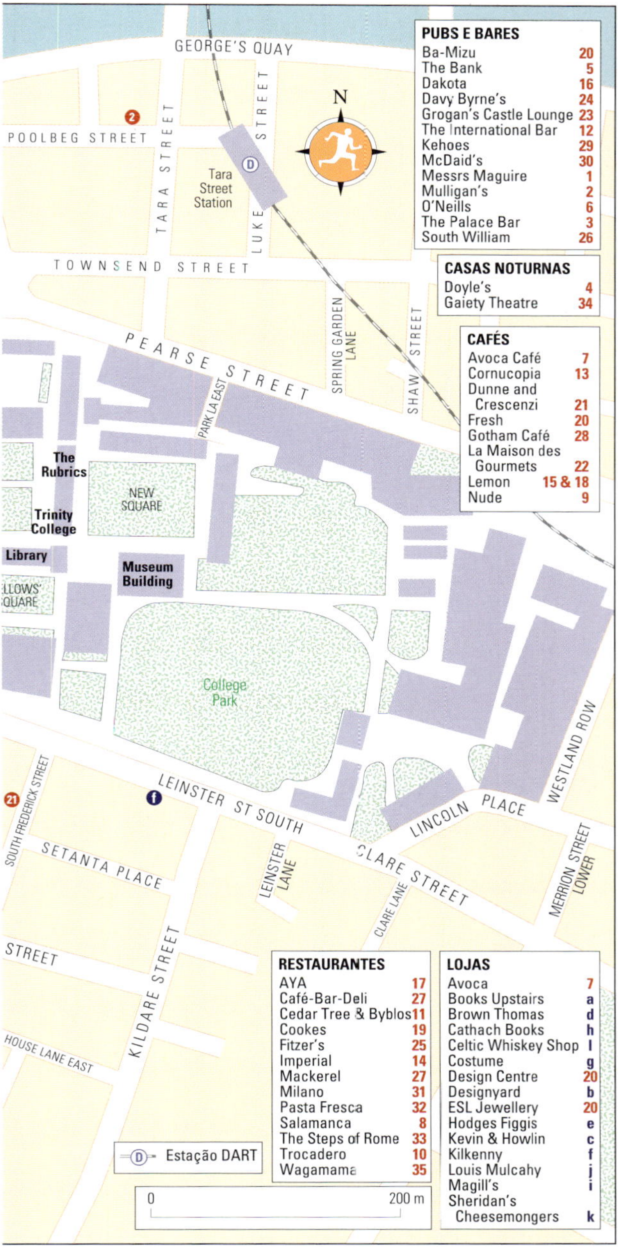

PUBS E BARES

Ba-Mizu	20
The Bank	5
Dakota	16
Davy Byrne's	24
Grogan's Castle Lounge	23
The International Bar	12
Kehoes	29
McDaid's	30
Messrs Maguire	1
Mulligan's	2
O'Neills	6
The Palace Bar	3
South William	26

CASAS NOTURNAS

Doyle's	4
Gaiety Theatre	34

CAFÉS

Avoca Café	7
Cornucopia	13
Dunne and Crescenzi	21
Fresh	20
Gotham Café	28
La Maison des Gourmets	22
Lemon	15 & 18
Nude	9

RESTAURANTES

AYA	17
Café-Bar-Deli	27
Cedar Tree & Byblos	11
Cookes	19
Fitzer's	25
Imperial	14
Mackerel	27
Milano	31
Pasta Fresca	32
Salamanca	8
The Steps of Rome	33
Trocadero	10
Wagamama	35

LOJAS

Avoca	7
Books Upstairs	a
Brown Thomas	d
Cathach Books	h
Celtic Whiskey Shop	l
Costume	g
Design Centre	20
Designyard	b
ESL Jewellery	20
Hodges Figgis	e
Kevin & Howlin	c
Kilkenny	f
Louis Mulcahy	j
Magill's	i
Sheridan's Cheesemongers	k

do século 19, Thomas Davis, autor de alguns dos poemas mais populares da Irlanda, entre eles, *A Nation Once Again* –,que explica o apelido da fonte à sua frente, com os arautos das quatro províncias da Irlanda, chamada de "Urination Once Again". A maioria dos pedestres vai em direção à entrada da escola entre as estátuas de Burke e Goldsmith, ponto de encontro mais popular da cidade.

Trinity College

ⓦwww.tcd.ie. Acesso gratuito. Visitas a partir da entrada principal guiadas por estudantes do Trinity, meados-mai a set seg-sáb 9h diariam, dom 7h diariam; 30min; € 5, ou € 10 incluindo ingresso para a Old Library. Imponente marco arquitetônico no coração da cidade, o Trinity College foi fundado em 1592 pela rainha Elizabeth para evitar que os irlandeses fossem "contaminados pelo papismo e por outras qualidades danosas" das universidades francesas, espanholas e italianas. Os católicos eram admitidos até

▼ CAMPANÁRIO, TRINITY COLLEGE

1637, quando foram impostas restrições que duraram até o Catholic Relief Act de 1793. Mas a Igreja católica proibiu seus fiéis de estudarem aqui até 1970 devido à orientação anglicana da escola; hoje, 70% dos estudantes são católicos. Entre os ex-alunos famosos estão políticos como Edward Carson e Douglas Hyde, o filósofo George Berkeley, o físico ganhador do Nobel, Ernest Walton, e os escritores Swift, Wilde e Beckett.

A bela simetria do século 18 da **Front Square**, ladeada pela Capela e pelo Examination Hall, dá para a Library Square, que abriga o edifício mais antigo, o Rubrics, um dormitório de estudantes em tijolo vermelho, de 1701. Na New Square mais adiante, a School of Engineering ocupa o velho **Museum Building** (1852), projeto em extravagante estilo gótico veneziano de Benjamin Woodward, com influência de seu amigo John Ruskin, e cheio de entalhes em pedra de animais e motivos florais.

Old Library e Livro de Kells

Mai-set seg-sáb 9h30–17h, dom 9h30–16h30; out-abr seg-sáb 9h30–17h, dom 12h–16h30 (fecha 10 dias entre Natal e Ano Novo); € 8. A maior atração turística do Trinity –às vezes com filas de meia hora entre junho e agosto– é o **Livro de Kells** *(Book of Kells)*, guardado na Old Library do século 18, com acesso pela Fellows' Square. Além do *Livro de Kells*, lindas páginas de manuscritos com iluminuras como o *Livro de Armagh (Book of Armagh)* (ambos do início do século 9º) e o *Livro de Mulling (Book of Mulling)* (fim do século 8º) estão expostos, antecedidos pela fascinante exposição

"Turning Darkness into Light", que contextualiza os manuscritos irlandeses com iluminuras –abrangendo desde o *ogham* (antigo sistema celta de escrita com linhas entalhadas em pedras) a livros devocionais etíopes.

No andar superior fica o magnífico **Long Room** da biblioteca, com seu teto abobadado. A biblioteca do Trinity tem uma cópia gratuita de todas as publicações inglesas e britânicas desde 1801; de seu estoque atual de 3 milhões de títulos, 200 mil dos mais antigos estão nas estantes de carvalho do Long Room. Além de ótimas exposições temporárias de livros e gravuras do acervo da biblioteca, o Long Room, de 65 metros, abriga uma **harpa** do século 15, a mais antiga da Irlanda, e a raríssima impressão original da Proclamação da República Irlandesa de 1916, feita no domingo de Páscoa no Liberty Hall.

Douglas Hyde Gallery

01/896 1116, www.douglashydegallery.com. Seg-qua e sex 11h–18h, qui 11h–19h, sáb 11h–16h45; gratuito. Visitas guiadas das exposições em curso ter 13h15 e sáb 14h; gratuito. Situada no Arts Block da década de 1970, em frente à Old Library na Fellows' Square, junto à entrada da escola pela Nassau St, a Douglas Hyde

▲ LONG ROOM, OLD LIBRARY

é uma das principais galerias de arte moderna da Irlanda. O nome deriva do primeiro presidente do país, e ela realiza exposições temporárias de alto nível de artistas inovadores, irlandeses e internacionais.

Bank of Ireland

College Green. Seg, ter e sex 10h–16h, qua 10h30–16h, qui 10h–17h; visitas guiadas ter 10h30, 11h30 e13h45; gratuito. Em frente ao Trinity, o edifício neoclássico de granito do Banco da Irlanda foi construído em 1729 por Sir Edward Pearce –também parlamentar– como sede do **Parlamento**. Já havia um Parlamento irlandês, sempre

Livro de Kells

Célebre pela escala, variedade e cor de seus ornamentos, o **Livro de Kells** originou-se no mosteiro de Iona, na costa da Escócia, fundado em 561 pelo grande estudioso irlandês, poeta e governante St Colum Cille (St Colmcille em inglês). Após um ataque viking em 806, os frades vieram para o mosteiro de Kells em County Meath, e em 1653 o livro foi trazido para Dublin para ficar a salvo das guerras de Cromwell. As 340 folhas de couro de bezerro do *Livro de Kells contêm* os quatro Evangelhos do Novo Testamento e textos em latim. Acredita-se que três artistas criaram sua linda decoração, com influências celtas, pictas, germânicas e mediterrâneas.

▲ HOUSE OF LORDS

restrito, desde o século 13, mas ele teve seu auge em 1782 –com o "Grattan's Parliament", assim chamado em homenagem ao principal responsável pela reforma constitucional–, quando gozou de independência legislativa em relação ao Parlamento Britânico. Ainda não se permitia a participação de católicos, mas conquistou-se relativa soberania nesse período, incluindo a fundação do Bank of Ireland; na época, os lordes decidiram construir uma entrada só para eles pela Westmoreland Street, projetada por James Gandon em 1785 em estilo coríntio, para diferenciar-se das colunas jônicas da entrada principal. Mas após a rebelião de 1798, a Irish House foi persuadida –à base do suborno– a votar a própria dissolução, e com o Act of Union de 1801, a Irlanda tornou-se parte do Reino Unido, governada a partir de Westminster. O Banco da Irlanda comprou o prédio por £40 mil em 1802, e a Câmara dos Comuns foi demolida, como forma de acabar com este forte símbolo de independência.

A **House of Lords**, com seu teto abobadado, quase foi demolida, mas sobreviveu e hoje abriga altas cerimônias de Estado e é a principal atração turística. Aqui você vê a bolsa ricamente bordada do lorde chanceler, usada para carregar o Grande Selo da Irlanda, e tapeçarias com as vitórias de Guilherme de Orange sobre Jaime II e seus seguidores católicos –o Cerco de Derry e a Batalha de Boyne. Planeja-se também expor o báculo usado na antiga House of Commons. Vendido pelos descendentes do último presidente da Câmara, ele foi comprado da Christie's de Londres pelo banco em 1937, por £ 3.100.

Com rico trabalho em estuque, o **Cash Hall** –um ponto elegante para qualquer transação bancária que você precise fazer– já foi a Sala de Requisições do Parlamento, onde se faziam petições aos seus representantes.

Grafton Street

Indo para o sul, do College Green até St Stephen's Green, a Grafton Street, para pedestres, começa com "the tart with the cart" ("moça com carrinho"),

▼ GRAFTON STREET

estátua *kitsch* de bronze, com moluscos e mexilhões, da vendedora de rua do século 18, Molly Malone. Se você odeia compras e aglomerações, a Grafton Street não é uma boa pedida; mas para quem gosta de ver gente é um paraíso, cheia de **artistas de rua**, de poetas a quartetos de cordas.

O principal marco da rua, o **Bewley's Oriental Café**, deve sua bela fachada em mosaico à mania por coisas egípcias que se seguiu à descoberta do túmulo de Tutankhâmon em 1922. Fundado pela família de quakers Bewley como bastião da abstinência, esta famosa instituição de Dublin teve que fechar em 2004 diante da escalada dos preços dos aluguéis que fez da Grafton Street uma das cinco ruas de compras mais caras do mundo. Felizmente, este ornamentado local reabriu, incorporando um Bewley's Café bem menor, filial do Café-Bar-Deli (pág. 73) e o restaurante de frutos-do-mar Mackerel (pág. 74).

Powerscourt Townhouse

Visitas guiadas sáb 11h–13h e 14h–17h; gratuito. O Powerscourt Townhouse é um shopping com muito estilo, que incorpora a mansão paladiana do século 18 de Lord Powerscourt (pág. 176). A principal entrada, na South William Street, tem o piso de pedra *trompe l'oeil* na entrada e no hall e, mais adiante, a escadaria central de mogno com seu estuque rococó de James McCullagh e balaustradas tidas como as mais entalhadas da Irlanda. Um trabalho em estuque mais geométrico e neoclássico de Michael Stapleton pode ser visto no andar de cima, na Solomon Gallery e no The Town Bride.

▲ ÁTRIO, POWERSCOURT TOWNHOUSE

O **café-bar** no átrio tem ótima localização –recebe muita luz do sol–, no antigo pátio interno da mansão.

Dawson Street

Esta movimentada rua é o endereço das principais livrarias da cidade e várias outras lojas especializadas, além de uma série de "super*pubs*" não muito atraentes. É aqui que fica também a **Mansion House**, construída em 1705 e ornada com uma fachada de estuque e brasão de armas da época vitoriana, que é a residência do prefeito da cidade desde 1715 (não está aberta ao público).

St Ann's Church

Dawson St ☎01/676 7727. Seg-sex 10h–16h. A fachada românica inclinada da St Ann's Church é um curioso marco vitoriano no final da South Anne Street. Seu **interior** simples, escuro e com varandas, é típico do século 18. Daqui, toda semana saem 120 filões de pão em bandejas atrás do altar, uma doação aos

▲ ST ANN'S CHURCH

pobres que remonta aos idos de 1723. Entre seus paroquianos incluem-se o colecionador de arte Sir Hugh Lane e Thomas Barnardo, fundador dos orfanatos de mesmo nome, e tanto Wolfe Tone (1785) como Bram Stoker (1878) casaram-se aqui. Um **vitral** na capela-mor homenageia Felicia Hemans, da Dawson St 21, que escreveu "The boy stood on the burning deck" em seu poema *Casabianca* de 1828.

Ligue para saber detalhes dos concertos de música erudita da hora do almoço e do entardecer.

Lojas

Avoca

11 Suffolk St ⓣ01/677 4215, ⓦwww .avoca.ie. Pequena loja de departamentos irlandesa de grande sucesso, com uma linha própria de roupas para mulheres e crianças, jóias, e lindos tapetes tecidos na oficina original em Avoca, Co. Wicklow, além de brinquedos e artigos chiques para a casa –tem ótimas opções para presentes. Há uma esplêndida mercearia no subsolo, e um café muito agradável no segundo andar (pág. 72).

Books Upstairs

36 College Green ⓣ01/679 6687. Particularmente forte em literatura irlandesa, crítica literária e biografias, e também em obras gerais sobre a Irlanda. Tem ainda boa variedade de periódicos e de literatura para gays e lésbicas, além de livros com desconto.

Brown Thomas

88–95 Grafton St ⓣ01/605 6666, ⓦwww.brownthomas.com. A mais destacada loja de departamentos da cidade, é sofisticada e cara, e tem uma longa lista de lojas de grifes irlandesas e internacionais, além de uma nova filial mais moderna em frente, a BT2.

Cathach Books

10 Duke St ⓣ01/671 8676, ⓦwww.rarebooks.ie. Fecha dom. É o lugar ideal para primeiras edições de autores irlandeses, mapas raros da Irlanda e gravuras de interesse literário.

Celtic Whiskey Shop

27–28 Dawson St ⓣ01/675 9744, ⓦwww.celticwhiskeyshop.com. Tem a melhor seleção de uísques irlandeses do mundo, com raridades de destilarias que já fecharam, além de marcas conhecidas, por preços razoáveis. O pessoal que atende é bem informado e tem sempre garrafas abertas para você provar. A loja despacha para o mundo inteiro.

Costume

10 Castle Market ⓣ01/679 4188. Butique sofisticada, que vende de agasalhos e casacos a vestidos de noite, feitos por designers menos conhecidos e também da própria grife.

Design Centre

Último andar, Powerscourt Townhouse Centre ⓣ01/679 5863, ⓦwww.

designcentre.ie. Uma grande vitrine de estilistas irlandeses de moda feminina, como Louise Kennedy e John Rocha. Tem também roupas e acessórios variados de nomes internacionais.

Designyard
48–9 Nassau St, ⓦwww.designyard.ie. Esta loja de prestígio estava saindo de Temple Bar e mudando para novas instalações de quatro andares, em frente ao Trinity. Oferece uma combinação de jóias, vasos, esculturas e objetos de arte contemporâneos, a maioria de artesãos irlandeses.

ESL Jewellery
Primeiro andar, Powerscourt Townhouse Centre ⓣ01/679 1603. Fecha dom. Jóias modernas e atraentes, muitas delas feitas aqui –as pulseiras e os brincos de ouro e prata são especiais. Também faz peças por encomenda.

Hodges Figgis
56–58 Dawson St ⓣ01/677 4754. Uma instituição de Dublin desde o século 18, por trás de sua fachada ornamentada em estilo holandês, de vários andares. Tem livros sobre a Irlanda no térreo –de ficção, história, língua e viagem. No subsolo, há uma seção de ofertas.

Kevin & Howlin
31 Nassau St ⓣ01/677 0257, ⓦwww.kevinandhowlin.com. Fecha dom. Todos os artigos em tweed Donegal, com jaquetas e ternos prontos para homens e mulheres –faz roupa sob medida em sete semanas–, além de bonés e chapéus.

Kilkenny
6 Nassau St ⓣ01/677 7066. Artesanato variado da Irlanda: cutelaria em prata e jóias de Newbridge; uma fina coleção de cristal de Waterford, de John Rocha; objetos de vidro de Jerpoint; cerâmicas, roupas e acessórios para mulheres de designers contemporâneos.

Louis Mulcahy
46 Dawson St ⓣ01/670 9311, ⓦwww.louismulcahy.com. Fecha dom. Lindos objetos para casa, como vasos, luminárias, cerâmica utilitárias e pias, feitos por um dos mais famosos ceramistas irlandeses, além de cachecóis e outras peças de lã.

Magill's
Clarendon St, perto do Westbury Mall. Fecha dom. Mercearia tradicional que oferece tudo o que você precisa para um excelente piquenique: salmão defumado de County Mayo, queijos irlandeses, antepastos, pães e especialidades do mundo todo.

Sheridan's Cheesemongers
11 South Anne St ⓣ01/679 3143, ⓦwww.sheridanscheesemongers.com. Fecha dom. Fantástica linha de queijos, a maioria de produtores artesanais irlandeses, além de frios e outras delícias. Os atendentes conhecem o que vendem.

▼ LOUIS MULCAHY

▲ MAGILL'S

Cafés

Avoca Café

11 Suffolk St. Agitado café no último andar desta loja de departamentos (pág. 70), sempre lotado na hora do almoço. A cozinha serve desde tortas de legumes e carne a caranguejo com salada de agrião e batata, além de sobremesas tentadoras, e uma boa seleção de vinhos e sucos (como a limonada caseira), todos com bela apresentação e serviço esmerado.

Cornucopia

19–21 Wicklow St. Seg-qua, sex e sáb 8h30–20h, qui 8h30–21h, dom 12h–19h. Pequeno bufê e café, há vários anos popular entre os vegetarianos. O cardápio muda todo dia e tem opções para dietas especiais, uma excelente variedade de cafés-da-manhã, saladas, sopas e pratos principais como o Thai curry, além de bolos, pães, sucos e vinho orgânico.

Dunne and Crescenzi

14–16 South Frederick St. Seg-sáb 8h30–23h, dom 10h–21h. Um bem montado café italiano, mercearia e loja de vinhos, com bom café-da-manhã, e, no resto do dia, todo tipo de sanduíches italianos e excelentes travessas de antepastos, além de saladas e meia dúzia de pratos especiais a cada dia. Lotado na hora do almoço, suas mesas ao ar livre são disputadíssimas no verão.

Fresh

Segundo andar, Powerscourt Townhouse Centre. Fecha dom. Ótima localização, junto do pátio georgiano envidraçado do shopping, e um maravilhoso cardápio vegetariano e vegan, com ingredientes orgânicos em sopas, saladas, sanduíches, massas, tortas, curries e cozidos; pães, bolos e sobremesas variados; vinhos, sucos e milkshakes.

Gotham Café

5 South Anne St. Abre de dia e de noite. Café com mesas ao ar livre numa alameda calma junto da Grafton Street, com um cardápio amplo, de preços razoáveis, que inclui ótimas pizzas e saladas, e pratos como bolo de caranguejo à Louisiana e curry de legumes tailandês.

La Maison des Gourmets

15 Castle Market. Fecha dom. Salão de chá chique sobre uma confeitaria francesa. Acomode-se nas banquetas altas e prove as refeições leves, como salmão defumado e torta de creme de cebolinha –que vão deixar espaço suficiente para um delicioso bolo e um café.

Lemon

South William St (seg-sex 8h–19h30, sáb 9h–19h30, dom 10h–18h30) e Dawson St (seg-qua, sex e sáb 8h–19h30, qui 8h–21h, dom 8h–18h30). Moderno e hiperativo, serve excelente café e uma imensa lista de panquecas doces e saborosas, para comer no local ou para levar –tente a deliciosa *banana maple delight* com amêndoas. A filial da Dawson St é mais arejada que a apinhada loja da South William St, e ambas têm mesas ao ar livre.

Nude

21 Suffolk St. Seg-qua 7h30–21h, qui e sex 7h30–0h, sáb 8h–0h, dom 10h–20h. Café divertido, estilo cantina, com uma grande cozinha aberta, que serve *wraps* quentes e frios, sanduíches, saladas, massas, sopas e sucos e *shakes* bizarros e maravilhosos, para consumir no local ou para viagem. Usa ingredientes orgânicos sempre que possível e tem muitas opções para vegetarianos.

Restaurantes

AYA

48 Clarendon St ⓣ01/677 1544, ⓦwww.aya.ie. Fica logo depois da loja de departamentos Brown Thomas e é o primeiro sushi bar de Dublin com esteira rolante. Também tem mesas nomais para pratos maiores e mais caros.

Café-Bar-Deli

Grafton St ⓦww w.cafebardeli.ie. Filial do restaurante da South Great George's St (pág. 117), segue a mesma fórmula bem-sucedida e agora ocupa parte do velho café Bewley's, onde, no andar térreo, você pode ainda admirar os vitrais *Birds of Paradise* de Harry Clarke .

Cedar Tree e Byblos

11 St Andrew's St ⓣ01/677 2121. O Byblos fecha dom no almoço, o Cedar *Tree* abre só à noite. Numa animada adega em frente ao International Bar, o acolhedor Cedar Tree oferece deliciosas opções de carne libanesa, frutos-do-mar e pratos vegetarianos por preço razoável –ainda mais tentadoras se você chegar aqui antes das 19h30 para o cardápio da primeira hora. A filial do andar de cima, Byblos, serve comida similar mas mais simples e barata.

Cookes

14 South William St ⓣ01/679 0536. Restaurante chique com ótimo serviço onde o ruído dos

▼ DUNNE AND CRESCENZI

▲ TROCADERO

passos nos pisos de cerâmica e as grandes janelas de frente para o Powerscourt Townhouse ampliam o agito. Tem saladas deliciosas, e os frutos-do-mar são o forte do cardápio, mas também oferece opções de massas e carnes, como a perdiz assada com castanhas e purê de salsão. Preços razoáveis no cardápio do almoço e também para os primeiros clientes a chegar para jantar.

Fitzer's

51 Dawson St ⓣ01/677 1155, ⓦwww.fitzers.ie. Parte de uma boa rede de restaurantes com preços moderados, oferece pratos tentadores como o cordeiro Wicklow e o bacalhau com molho de manteiga ao limão, além de pratos especiais do dia, opções para vegetarianos e um cardápio barato para os primeiros clientes. Esta filial é decorada com arte moderna bem colorida, lustres e banquetas altas de couro, e também tem mesas ao ar livre.

Imperial

12A Wicklow St ⓣ01/677 2580. Prestigiado por clientes chineses fiéis, que em geral o consideram o melhor restaurante do centro. As especialidades incluem camarões com molho de laranja e peixe ao vapor com rodelas de cebola e gengibre, além de grande variedade de frutos-do-mar. O excelente *dim sum* servido todo dia até 17h30, é especialmente popular aos domingos.

Mackerel

Grafton St ⓣ01/672 7719, ⓦwww.mackerel.ie. Muito bem-vindo à culinária de Dublin, restaurante de peixe, num salão elegante com lustres, no primeiro andar do antigo café Bewley's. O serviço pode ser um pouco afobado, mas a comida compensa: frutos-do-mar, seguidos por um cardápio que muda todo dia de pratos de peixe bem preparados e criativos, como o atum com molho de *chilli* e manga.

Milano

38 Dawson St ⓣ01/670 7744. Filial da tradicional rede de pizza (pág.102).

Pasta Fresca

3 Chatham St ⓣ01/679 2402. Espaçoso, informal, bem decorado, com algumas mesas ao ar livre e preços adequados para antepastos, massas, grelhados, saladas, pizzas e pratos do dia. Tem cardápio mais barato antes e depois do teatro e no almoço de seg-sex.

Salamanca

1 St Andrew's St ⓣ01/677 4799. Imensa variedade de *tapas* por preço adequado –prove a saborosa paella da casa–, com serviço amigável, iluminação suave e decoração simples.

The Steps of Rome

1 Chatham Court, Chatham St ☎01/670 5630. Restaurante básico e pequeno, que serve pizza excelente e barata, além de *calzone*, massas, saladas e alguns pratos de carne. Se não conseguir mesa, leve pizza em pedaços para viagem.

Trocadero

3 St Andrew's St ☎01/677 5545, ⓦwww.trocadero.ie. Só à noite, fecha dom. Refúgio acolhedor, com espaços acolchoados, fotos assinadas de visitantes do showbiz e muitos metros de veludo vermelho. A comida internacional é ótima, embora previsível, tanto à la carte como no cardápio fixo, de preço razoável, que inclui uma opção pré-teatro mais barata (a mesa deve ser liberada às 19h45).

Wagamama

South King St ☎01/478 2152. Filial no subsolo da conhecida rede de preço razoável, com uma cozinha aberta que serve pratos japoneses de carne e vegetarianos. Os clientes compartilham mesas longas. É o melhor para sopa de macarrão, bolinhos e uma ampla variedade de sucos; também prepara para viagem.

Pubs e bares

Ba-Mizu

Powerscourt Townhouse Centre. Bar moderno, à meia-luz com mobília de couro, na adega de pedra abobadada da antiga casa de Lord Powerscourt. Tem inúmeros coquetéis, um cardápio popular de comida, com pratos como risoto de aspargos e queijo de cabra, e mesas ao ar livre na South William Street.

The Bank

College Green. Por trás da fachada escocesa de arenito, o antigo Belfast Bank foi reformado, mantendo o esplendor vitoriano, e virou um dos bares mais luxuosos de Dublin: pisos de mosaico, vitrais no teto, rosetas de gesso e colunas de alabastro podem ser admirados melhor no mezzanino. Tem boa seleção de cervejas, vinhos e coquetéis, além de saladas, sanduíches e refeições principais. Mas para que colocar as últimas cotações da bolsa piscando acima do bar?

Dakota

9 South William St. Qui até 2h, sex e sáb até 2h30. Uma reforma com estilo, em chocolate e tijolo, de uma loja de tecidos. Serviço de garçom nas mesas com sofás ou poltronas de couro escuro, para uma clientela por volta dos 30, que lota o lugar nos fins de semana. Entre as opções de comida, travessas de petiscos para acompanhar a bebida.

Davy Byrne's

21 Duke St. Depois de uma grande reforma para virar *lounge* bar, misturando Art Déco e estilos vagamente modernistas, você terá trabalho para ver neste "bar sério" de Davy Byrne o local onde Bloom dá um tempo para comer um sanduíche de gorgonzola e tomar um copo de Burgundy no *Ulisses*. Mas é ótimo para um drinque, uma travessa de ostras, um sanduíche, uma salada ou uma bandeja de *shepherd's pie*.

Grogan's Castle Lounge

15 South William St. Animado *pub* tradicional, excêntrico, com mesas ao ar livre, obras de artistas locais nas paredes, e novos escritores e artistas que buscam inspiração no vitral-memorial aos ex-clientes famosos do Grogan's.

▲ DAKOTA

The International Bar
23 Wicklow St ☎01/677 9250. *Pub* à antiga, sociável, às vezes barulhento, que ferve aos fins de semana. O térreo, com seus vitrais e entalhes de madeira, é concorrido, e talvez você tenha mais sorte procurando lugar no bar do subsolo. Quase toda noite tem alguma atração: shows de humor às seg e de qua a dom, cantores-compositores às seg e jazz na maioria das terças.

Kehoes
9 South Anne St. Local de reunião, com estilo, onde os dublinenses passam o tempo quando conseguem lugar, especialmente em algum dos recantos privados. Tem bar de mogno com gavetas no estilo antigo, que também servia para guardar alimentos, e ao andar de cima, onde viviam os últimos donos de bar do centro, ainda tem o ar de uma confortável sala de estar.

McDaid's
3 Harry St. Este marco literário foi a segunda casa do romancista e dramaturgo Brendan Behan, que passou aqui os dias bebendo, se divertindo, tirando uma soneca e bebendo de novo. O animado *pub* de teto alto ainda é popular entre os locais, com lugar para sentar no andar de cima quando fica lotado demais.

Messrs Maguire
1–2 Burgh Quay. Seg, ter e dom até meia-noite, qua até 1h, qui até 2h, sex até 2h30, sáb até 3h. Embora não tenha tanta classe quanto o Porterhouse (pág. 103), este *pub* e microcervejaria de frente para o rio, com vários mezaninos saindo de uma majestosa e sinuosa escadaria, vale a visita. Tem um cardápio básico, com pratos como salsichas e purês.

Mulligan's
8 Poolbeg St. Um pouco fora do padrão, este *pub* grande e correto continua sendo o local favorito de jornalistas e funcionários do *Irish Times,* que fica perto. Compete com o Ryan's (pág. 158) e, é claro, com o The Gravity Bar (pág. 125) pelo título de melhor cerveja de Dublin.

O'Neill's
2 Suffolk St. Este velho *pub* é imenso, enfeitado com muitos metros de painéis de carvalho e couro verde, mas apesar das hordas de estudantes do Trinity, é provável que você encontre um canto quieto. Tem cardápio variado e extenso, com churrasco o dia inteiro.

The Palace Bar
21 Fleet St. *Pub* vitoriano descontraído, famoso tanto pela qualidade da sua cerveja como pela bela decoração de

painés espelhados e madeira entalhada. O bar do andar de cima, superlotado, tem música tradicional às qua, qui e dom.

South William
52 South William St. Qui até 1h, sex e sáb até 3h. Novo DJ bar mais informal e agitado do que sugere sua aparência contemporânea, cheia de ângulos. Além da ampla variedade de cervejas e drinques, oferece opções modernas de pratos leves com sabor caseiro –tortas quentes, com recheios bem variados.

Casas noturnas e de espetáculo

Doyle's
9 College St ☎01/571 0616. Famoso por projetar novos compositores e cantores nas Ruby Sessions (ter 21h), o *pub* Doyle's também tem outros eventos musicais, além de show de humor dom à noite.

▼ THE INTERNATIONAL BAR

Gaiety Theatre
South King St ☎01/677 1717, ⓦwww.gaietytheatre.ie. O Gaiety se transforma toda sexta e sábado em local de dança, e orgulha-se de ser o clube que abre mais tarde na cidade. Com quatro bares e até quatro DJs trabalhando em quatro salões diferentes, além de uma variedade de pequenos shows ao vivo, o local tem tudo para oferecer uma bela noitada.

Kildare Street e Merrion Square

As instituições políticas e culturais da Irlanda estão restritas aos limites de Kildare Street e Merrion Square. A Leinster House e sua parte externa, sede do Parlamento irlandês, estende-se pelos dois locais, rodeada pelos tesouros imperdíveis do National Museum, da National Library e suas impressionantes exposições literárias, do tesouro de arte européia da National Gallery e do quartel-general do serviço público, os Government Buildings. Antigas residências de personagens históricos da Irlanda, de O'Connell aos Wildes, as fileiras de casas georgianas da Merrion Square são hoje ocupadas por organizações bem variadas, como o Arts Council e a Football Association da Irlanda, e seus tranquilos gramados ladeados por árvores aliviam um pouco o peso da majestade do local. Não há *pubs* ou restaurantes na Merrion Square, mas na Kildare Street há um ou dois lugares para comer ou beber algo, e a maioria das instituições culturais tem um café.

Leinster House

Kildare St ⓣ01/618 3781, ⓦwww.oireachtas.ie. Hoje sede do **Oireachtas** (parlamento irlandês), a Leinster House foi construída em 1745 como a mansão nos subúrbios de James Fitzgerald, conde de Kildare (mais tarde duque de Leinster). O arquiteto, Richard Castle, projetou a impressionante fachada para que pudesse ser vista da Molesworth Street, e contratou os irmãos Lafranchini, suíços, para decorar os tetos com estuque barroco. Depois de servir como sede da Royal Dublin Society a partir de 1815, a casa foi comprada pelo governo do recém-formado Estado Livre Irlandês em 1924.

O Oireachtas tem duas câmaras: os eleitos por representação proporcional, o **Dáil** (Casa dos Representantes, conhecidos como *teachtaí Dála* ou TDs) têm assento no antigo teatro de palestras do século 19 da Royal Dublin Society; os membros do **Seanad** (Senado), nomeados tanto pelo Taoiseach (primeiro-ministro) como eleitos a partir de várias listas ou por universidades, se reúnem numa sala semicircular do século 18, antiga galeria de quadros da mansão. O Parlamento se reúne de meados de janeiro ao início de julho (com recesso na Páscoa) e de outubro até o Natal, nas tardes de terça, quarta e quinta.

Visitantes do exterior que quiserem uma **visita guiada** precisam do aval de sua embaixada em Dublin (pág. 208); há visitas o ano todo (aprecia-se melhor o edifício quando o Oireachtas está

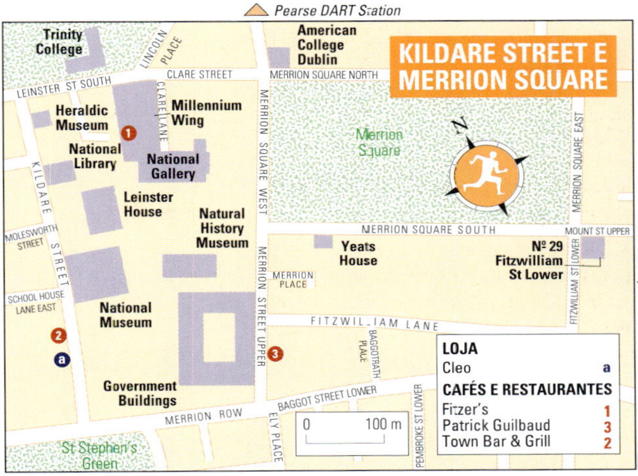

em recesso), e os meses mais agitados são maio e junho.

National Museum

Kildare St ☎01/677 7444, ⓦwww.museum.ie. Ter-sáb 10h–17h, dom 14h-17h; gratuito. Visitas guiadas ter-sáb 15h30, dom 14h30 e em outros horários afixados na entrada todo dia; 40min; € 2. O National Museum na Kildare Street é o melhor de um grupo de museus geridos em conjunto –que incluem o Natural History Museum (pág. 83) e o Collins Barracks (pág. 151), focado em artes decorativas– e é de visita obrigatória. O destaque é sem dúvida o impressionante volume de ouro pré-histórico e um lote de mil anos de tesouros eclesiásticos, mas a coleção inteira compõe uma fascinante e acessível história da arqueologia da Irlanda. A loja na rotunda da entrada vende artesanato de alto nível inspirado nas obras do museu, e há também um café.

O **ouro pré-histórico** (*ór*), boa parte descoberta durante o corte da turfa, tem local de destaque no térreo do salão principal. Do início da Idade do Bronze (c. 2500-1500 a.C.), vêm as *lunulae*, finas folhas de ouro em forma de lua crescente, usadas como colares. Depois de 1200 a.C., quando novas fontes do metal foram encontradas, os ourives puderam ser mais ousados e produzir colares mais grossos –o espetacular colar Gleninsheen e o Tumna Hoard, com nove grandes bolas de ouro perfuradas, que o fazem parecer um colar imenso. Outras peças pré-históricas ficam no salão principal, como o Lurgan Logboat, um barco de cerca de 2500 a.C., desenterrado de um pântano de Galway em 1902.

O vizinho Treasury guarda a maioria das **peças eclesiásticas** mais conhecidas do museu, como o enfeitado Ardagh Chalice do século 8º e o Tara Brooch, decorado com belos desenhos de nós. Ainda no térreo fica a mais recente exposição do museu, "**Kingship and Sacrifice**", mostrando os corpos curtidos de quatro nobres da Idade do Ferro, bem preservados, e descobertos em vários pântanos da Irlanda.

No andar de cima, a "**Viking-age Ireland**" (c. 800-1150) mostra maquetes de uma casa e o layout da Fishamble Street de Dublin, e uma sala ao lado guarda famosos objetos cristãos do mesmo período, como o belo Bastão Episcopal de St Tola e a Cruz de Cong, criados para santificar um fragmento da Verdadeira Cruz dado ao rei de Connacht pelo papa em 1123.

A exposição seguinte trata da **Irlanda medieval** (1150-1550), dos colonizadores ingleses, da sua retirada da área fortificada em volta de Dublin conhecida como "the Pale" depois de 1300, e da cultura híbrida que se desenvolveu nesse período –você pode ouvir gravações de poesia escrita na Irlanda em irlandês médio, inglês médio e francês normando. Não perca a série de **santuários** pequenos e enfeitados, feitos para guardar relíquias ou textos sagrados, como o Santuário do Cathach, que contém um manuscrito de St Columba (St Colmcille) de Iona, legendário bardo, erudito, governante e evangelizador da Escócia.

National Library

Kildare St ⓦwww.nli.ie. Seg-qua 10h–21h, qui e sex 10h–17h, sáb 10h–13h; gratuito. A National Library abriu em 1890, logo depois do National Museum, cujo desenho ela imita, do outro lado do pátio da Leinster House. Sua principal atração são longas **exposições** temporárias sobre temas como W. B. Yeats, montadas num belo espaço *high-tech* no térreo inferior. Os visitantes podem também entrar na silenciosa e abobadada **Sala de Leitura** do primeiro andar, decorada com estantes ornamentadas e um divertido friso de querubins. É no escritório daqui que Stephen Daedalus envolve os bibliotecários –que aparecem com seus nomes reais– na conversa literária do episódio "Scylla and Charybdis" de *Ulisses*. No mezanino, note as curiosas placas de pedra que representam, da esquerda para a direita, Ásia, Europa, América e África. No **Genealogy Room** (seg-sex 10h–16h45, sáb 10h–12h30; gratuito), genealogistas profissionais orientam quem pesquisa sua história familiar

▼ SALA DE LEITURA, NATIONAL LIBRARY

▲ MACACOS JOGANDO BILHAR, HERALDIC MUSEUM

sobre como acessar registros daqui e de outros locais de Dublin, assim como em Belfast.

O térreo da biblioteca abriga um **café** muito simpático e uma pequena livraria.

Heraldic Museum

2–3 Kildare St ⓦwww.nli.ie. Seg-qua 10h–20h30, qui e sex 10h–16h30, sáb 10h–12h30; gratuito. A alguns passos da National Library, que o administra, fica o Heraldic Museum, que guarda peças como a Ordem de St Michael e George de Roger Casement, a bolsa do lorde chanceler e o manto e insígnia da Ordem de São Patrício. E se a sua estante sobre a lareira precisa de um brasão de armas irlandês, o adjunto escritório do Chief Herald é o lugar certo –vai custar € 3.000 e leva um ano para ficar pronto. Esses estabelecimentos ocupam um edifício de tijolo de meados do século 19 em estilo veneziano, que abrigou o muito conservador Anglo-Irish Kildare Street Club, que o escritor George Moore –ele próprio um membro da classe latifundiária– criticou em *Parnell and His Island* em 1887: "uma espécie de banco de ostras no qual todos os filhos mais velhos dos latifundiários caem obviamente... tomando sherry e ofendendo Gladstone numa espécie de dialeto, uma língua morta que a estupidez de larva do clube preservou". Os irmãos O'Shea, que fizeram o bizarro **entalhe de pedra** da fachada, talvez endossassem a visão de Moore –note os três macacos jogando bilhar numa das janelas do térreo.

National Gallery

Acesso pela Merrion Square West ou pela Clare St via Millennium Wing. ⓣ01/661 5133, ⓦwww.nationalgallery.ie. Seg-sáb 9h30–17h30, qui até 20h30, dom 12h–17h30; gratuito (sugere-se doar € 3). Visitas guiadas gratuitas sáb 15h, dom 14h, 15h e 16h; reunir-se na Shaw Room (Dargan Wing Level 1, perto da entrada da Merrion Square). A National Gallery tem uma ótima coleção de arte européia ocidental desde a Idade Média até o século 20. O velho edifício da galeria, composto pelas alas Beit, Milltown e Dargan, ganhou agora a ala Millennium, que abriga exposições temporárias em seu belo átrio. Mas a planta da galeria pode gerar confusão, por isso, ao entrar pegue um folheto com o mapa detalhado (gratuito). Além de loja, restaurante e café (pág. 85), a galeria oferece concertos

▲ NATIONAL GALLERY

de música, palestras e oficinas (detalhes no guia mensal *Gallery News*, disponível no *foyer*).

O **Nível 1** é mais dedicado à arte irlandesa do século 17 em diante, e inclui uma grande galeria na Ala Millennium dedicada ao século 20. Mas o destaque da coleção irlandesa é o Yeats Museum (embaixo da National Portrait Gallery), que traça o desenvolvimento da pintura de Jack B. Yeats (1871-1957), irmão mais novo do escritor W. B., de seu início como retratista de cenas do cotidiano ao expressivo pintor abstrato da maturidade.

Os destaques do **Nível 2** incluem uma ótima seleção de obras do Alto Renascimento; o dinâmico *A deposição*, de Caravaggio e perto deste um característico Vermeer, *Senhora escrevendo carta*; destacadas obras de Velázquez, Rubens e Mantegna; uma fascinante sala dedicada à arte de Roma do século 18; e um excelente apanhado de arte francesa de Poussin aos cubistas. Na **Print Gallery** do mezanino, além de exposições temporárias o ano todo, são exibidas aquarelas de Turner todo mês de janeiro, quando a luz suave não afeta essas delicadas obras.

Merrion Square

Iniciada em 1762, a Merrion Square representa o auge do **planejamento urbano georgiano**. Suas longas e graciosas fileiras de casas de tijolo marrom têm portas elaboradas, aldravas e bandeiras semicirculares, além de sacadas de ferro trabalhado (acrescentadas no início do século 19) e janelas altas no primeiro andar, onde as salas de recepção deviam ficar. O lado norte da praça foi construído primeiro e ostenta maior variedade de desenho.

Os gramados amplos e bem cuidados dos **jardins** da praça são um prazer por si só, mais calmos que os de St Stephen's Green, e ideais para piqueniques de fim de semana. O político revolucionário Michael Collins tem seu busto de bronze no lado sul do jardim, perto de um busto de pedra meio desgastado de Henry Grattan (págs. 63 e 68), e o escritor, artista e místico George Russell ("AE") ergue-se gravemente perto do canto sudoeste e de sua antiga casa no nº 74. Mas a estátua mais notável e controvertida fica no canto noroeste: aqui, em frente à casa de sua infância no nº 1 (hoje o American College Dublin), **Oscar Wilde** está reclinado numa pedra, em pose lânguida e zombeteira, o que valeu à estátua o apelido de "the fag on the crag" ("a bicha na pedra"). Em frente, um torso masculino e sua mulher Constance, grávida de seu segundo filho, apóiam-se em bases onde está escrito com humor wildeano: "Este suspense é terrível. Espero que dure"; "Bebo para manter corpo e alma separados". Perto, nas grades dos jardins da praça, dezenas de artistas dependuram seus quadros à venda todo domingo (e em alguns sábados, se fizer sol).

A fileira de casas da **Merrion Square South**, que concentra o maior número de antigos residentes célebres, dá uma boa idéia da história local. O político Daniel O'Connell comprou o nº 58 em 1809, o físico austríaco agraciado com o Nobel, Erwin Schrödinger ocupou o nº 65 e o romancista gótico Joseph Sheridan Le Fanu morreu no nº 70, onde fica hoje o Arts Council. No nº 39 ficava a Embaixada Britânica, queimada por uma multidão que protestava contra o massacre do Domingo Sangrento (*Bloody Sunday*) em Derry, em 1972.

▼ ESTÁTUA DE OSCAR WILDE, MERRION SQUARE

Natural History Museum

Merrion Square West ⓣ01/677 7444, ⓦwww.museum.ie. O museu infelizmente tem se mantido fechado nos últimos anos, devido a graves problemas estruturais.

Autodenominado "um museu de um museu", o Museu de História Nacional evoluiu muito desde que abriu em 1856. A escultura de bronze no gramado retratando heroicamente o major-cirurgião T. H. Parke com o pé sobre o crânio de um animal e um rifle nas mãos dá o tom do ambiente. Nascido em Roscommon, Parke acompanhou Stanley na sua expedição de 1887 ao rio Congo, como primeiro irlandês a atravessar a África. O museu tem dez mil **animais expostos**, de um acervo de 2 milhões de espécies. Guardando o **Irish Room** do térreo, há três esqueletos de cervos irlandeses gigantes que, apesar de intimidar rivais e impressionar fêmeas com o tamanho de seus chifres –três metros–, maiores que os de qualquer outro cervo, foram extintos por volta de 9000 a.C.

No andar superior, a **World Collection** concentra-se na zoologia da África e da Ásia, e inclui a coleção Barrington de aves, muitas das quais tiveram o azar de se chocar contra faróis irlandeses. A galeria inferior, último local de descanso de um esqueleto de dodó, é o melhor ponto para ver os esqueletos de duas baleias encalhadas em praias irlandesas, uma delas uma baleia-fin de 20 metros de comprimento. A galeria superior é de invertebrados e abriga a **coleção Blaschka**, com lindos modelos em vidro de criaturas marinhas do século 19; veja também o par de belas luvas de ouro, tecidas com fios do molusco nácar.

Government Buildings

Merrion St Upper ⓦwww.taoiseach.gov.ie. Visitas guiadas sáb 10h30, 11h30, 12h30 e 13h30; 40min; ingressos gratuitos na National Gallery (entrada da Merrion Square) no dia. Os passeios podem ser cancelados sem aviso prévio devido a afazeres do governo – ligue ⓣ01/619 4116 e confirme. Perto do Museu de História Natural, ergue-se o bloco neoclássico dos Government Buildings, sede do governo e de seus ministros. Construído entre 1904 e 1922 como Royal College of Science, foi o último grande edifício erguido pelos britânicos –e logo confiscado pelos ministros do Free State como uma base segura durante a Guerra Civil de 1922-23.

Ao visitar o complexo, reformado com estilo, você conhecerá a sala do Gabinete, cheia de retratos de heróis irlandeses, e o escritório da Taoiseach, que tem seu próprio elevador para o heliporto. Na escadaria cerimonial, procure o *My Four Green Fields,* de Evie Hone, uma bela representação das quatro províncias da Irlanda em vitrais.

Yeats House

82 Merrion Square ⓣ01/676 1173. Seg-sex 9h30–13h e 14h–17h, mais alguns sábados no verão de 12h–16h; gratuito. A residência majestosa de W. B. de 1922 a 1928 interessa principalmente aos fãs de Yeats. Em ruínas, foi reformada no fim da década de 1990, e hoje mostra lindas lareiras de mármore e lustres resgatados de outras casas similares da Merrion Square. O cômodo mais imponente é a antiga **sala de representação**, decorada com cornijas em ricas cores, onde Yeats costumava se entreter e também encenava peças. Hoje as salas funcionam como escritórios, por isso é bom ligar antes.

Fitzwilliam Street Lower, Nº 29

ⓦwww.esb.ie/no29. Ter-sáb 10h–17h, dom 13h–17h, fecha nas três últimas semanas de dez; € 5. Esta mansão no canto sudeste da Merrion Square foi reconstruída no estilo de uma **casa georgiana** de classe média do período de 1790-1820 pelo Electricity Supply Board, usando mobília do acervo do National Museum. O ESB pode parecer um curador estranho para uma iniciativa cultural como esta, mas a casa foi reconstruída como uma forma de preservar esse tipo de arquitetura, depois que esse conselho derrubou 26 casas georgianas para construir seus escritórios na década de 1960. **Visitas guiadas** dão vida aos detalhes da vida burguesa no período georgiano, tanto no térreo como nos elegantes salões do andar superior, com equipamentos como um refrigerador de vinho revestido de chumbo e um aquecedor para aliviar problemas gástricos. Deste canto da praça há uma ótima vista pela Mount Street Upper da igreja de St Stephen, obra de 1824 de inspiração grega.

Loja

Cleo

18 Kildare St ☎01/676 1421, Ⓦwww.cleo-ltd.com. Fecha dom. Loja de roupa especializada em designs irlandeses e fibras naturais, incluindo malhas tricotadas a mão, camisas de linho e casacos, cachecóis e acessórios de lã.

Cafés e restaurantes

Fitzer's

Ala Millennium, National Gallery, entrada da Clare St. Ⓦwww.fitzers.ie. Restaurante seg-sex 12h–15h, sáb e dom 12h–16h, café mesmo horário da galeria (pág. 81). Num ambiente contemporâneo, bem iluminado pelo teto de vidro da nova ala, o Fitzer's é um restaurante self-service elegante, com pratos como frango recheado com emmenthal, presunto e rúcula, a preços bem razoáveis. O café no andar superior serve lasanhas, quiches, sopas, saladas e sanduíches, além de atraentes bolos e biscoitos.

Patrick Guilbaud

Merrion Hotel, 21 Merrion St Upper ☎01/676 4192, Ⓦwww.restaurant-patrickgilbaud.ie. Fecha dom e seg. Restaurante francês clássico, um dos melhores e mais caros de Dublin, que usa ao máximo ingredientes irlandeses sazonais. Formal à noite, o "Paddy Giblets" afrouxa o nó da gravata um pouco no almoço, quando o cardápio fixo por € 35 (dois pratos mais café e *petits fours*) tem preço bem adequado.

Town Bar & Grill

21 Kildare St ☎01/662 4724, Ⓦwww.townbarandgrill.com. Uma adega animada, com decoração simples e elegante, alto padrão culinário –de forte influência italiana–, cardápio complexo e longa carta de vinhos. É caro, mas tem um cardápio fixo no almoço com preço adequado.

De St Stephen's Green ao Grand Canal

Além de ser um marco da cidade e ponto-chave para o transporte, St Stephen's Green é o maior e mais variado parque do centro de Dublin, e suas estátuas constituem uma boa aula de história em pedra, madeira e bronze. Entre várias outras atrações menores, suas principais atrações datam do período georgiano: o esplêndido trabalho em estuque da Newman House e as elegantes ruas e praças a leste do Green, com locais excelentes e de alto nível para comer. Duas áreas de vida noturna próximas ao Green valem uma visita: a consagrada série de *pubs* tradicionais da Baggot Street a leste; e a vibrante trilha de bares de DJs e de música ao vivo ao longo da Camden Street e da Wexford Street, culminando com a velha Hacourt Street Station, com todo seu estilo e suas variadas atrações.

St Stephen's Green

Seg-sáb 8h–anoitecer, dom 10h–anoitecer. Maior das praças do centro de Dublin, St Stephen's Green preserva sua personalidade vitoriana característica, com um pequeno lago, coreto, viveiro de plantas e mostra de flores. Já foi um terreno sem atrativos, um local sujo e perigoso, palco de reuniões públicas até o século 18. Mas em 1880, foi transformada em parque, com verba doada pelo cervejeiro Lord Ardilaun (Sir Arthur Guinness), que hoje aparece na maior das **estátuas** do

▼ ST STEPHEN'S GREEN

Passeio pelos monumentos de St Stephen's Green

Um passeio pelos monumentos de St Stephen's Green dá uma idéia da história da cidade, dos vários episódios e personagens que têm firmes raízes no local; mapas na entrada principal orientam o visitante. Talvez a estátua mais notável do parque seja o busto de **James Joyce**, olhando por cima de sua mão ossuda para a sua alma *mater*, a Newman House, cruzando a rua St Stephen's Green South. No canto sudeste, a fonte **Three Fates** foi um presente do governo alemão para Dublin, em reconhecimento à ajuda dada a crianças refugiadas após a Segunda Guerra Mundial.

Um busto discreto no lado sul da mostra de flores é uma tímida homenagem à notável condessa **Markiewicz**, socialista e feminista, líder rebelde em St Stephen's Green no Levante da Páscoa de 1916. A oeste da mostra de flores, uma placa num banco de madeira celebra as "mulheres caídas" –mães solteiras ou meninas vítimas de abuso– forçadas a viver e trabalhar em duras condições nas **lavanderias Magdalen** da Irlanda; a última, em Dublin, só foi fechada em 1996. Adiante, num pequeno monte, *o Knife Edge*, memorial de Henry Moore para **W. B. Yeats,** é mais alentador. No extremo oeste do Green, um bronze de **Robert Emmet**, líder da rebelião de 1803, olha orgulhoso para o local onde nasceu, hoje demolido.

No canto noroeste, defronte à Grafton Street, o **Fusiliers' Arch**, que lembra os fuzileiros reais de Dublin mortos na Guerra dos Bôeres, ainda é chamado por alguns de "Portão dos Traidores". O humor comparece no canto nordeste, onde uma fileira de monólitos de granito em homenagem ao nacionalista do século 18 **Wolfe Tone** é apelidada de "Tonehenge". Atrás dele ergue-se uma comovedora celebração da **Grande Fome**.

Green's (ver acima), no extremo oeste do parque. Residentes mais ansiosos fazem queixas exageradas de que bêbados e desocupados estão fazendo o Green voltar à sua degradação anterior, mas na verdade ainda é um local popular e agradável para um descanso, bem no coração da cidade. No canto noroeste do Green, perto do alto da Grafton Street, você pode alugar um **cavalo ou uma carruagem**, para um passeio pelas atrações, que em geral custa € 50 por meia hora.

St Stephen's Green North

Conhecido como "Beau Walk" no século 18, St Stephen's Green North ainda é a parte mais bonita da praça. Aqui, o **Shelbourne Hotel** (pág. 190) proclama ser o melhor de Dublin desde sua inauguração em 1824. Depois do hotel, no início de Merrion Row, fica o pequeno e arborizado **Cemitério Huguenote,** criado em 1693 por protestantes que fugiam da perseguição religiosa na França, muitos dos quais se instalaram em The Liberties (pág. 122). Uma grande placa nos portões relaciona vários huguenotes de Dublin, entre eles

▼ O SHELBOURNE HOTEL

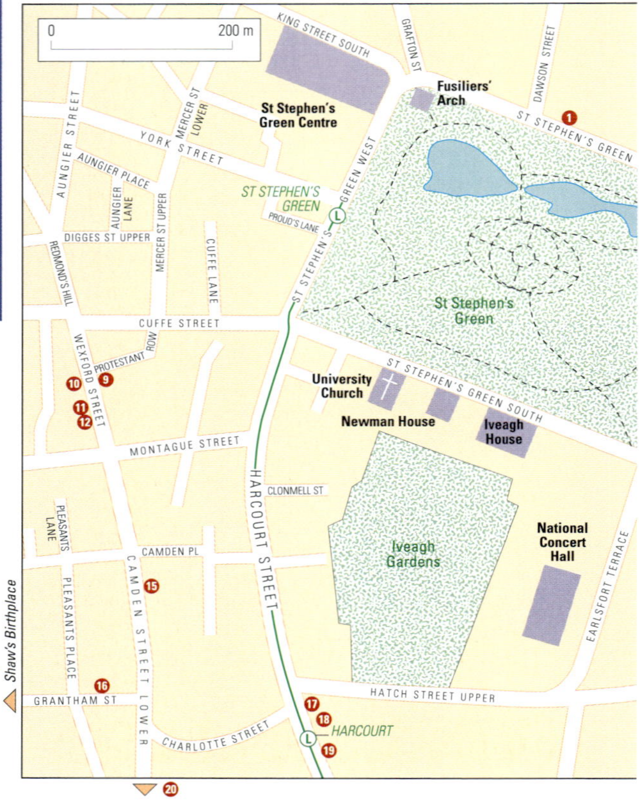

os escritores Dion Boucicault e Sheridan Le Fanu.

Nos fins de semana, artistas locais colocam seus quadros à venda dependurados nas grades do lado norte da St Stephen's Green.

Newman House

85–86 St Stephen's Green South ☎01/716 7422. Apenas visitas guiadas: jun-ago ter-sex 14h, 15h e 16h; € 5. A Newman House tem alguns dos melhores interiores georgianos de Dublin, que se destacam por sua decoração em gesso. A casa leva o nome de **John Henry Newman**, famoso inglês que abandonou o anglicanismo e fundou a Universidade Católica da Irlanda aqui em 1854, como alternativa ao anglicano Trinity College e aos então recém-inaugurados e "ateus" Queen's Colleges de Belfast, Cork e Galway. James Joyce e Éamon de Valera estudaram naquela que viria se tornar a University College Dublin (UCD), hoje transferida para um grande campus nos subúrbios do sul.

A Newman House começou como duas casas: o nº 85 é uma mansão paladiana erguida

por Richard Castle em 1738 e com fino **estuque barroco** dos irmãos suíços Lafranchini, e a do nº 86, maior, é de 1765. No seu andar superior ficam uma sala de palestras, recriada como nos dias de estudante de Joyce (1899-1902), e o quarto do poeta inglês **Gerard Manley Hopkins**. Abandonando o anglicanismo, Hopkins tornou-se padre jesuíta e depois professor de literatura clássica aqui em 1884; após cinco anos infelizes em Dublin, morreu de tifo e foi enterrado em vala comum no cemitério de Glasnevin.

University Church e Iveagh House

Perto da Newman House fica a curiosa University Church, em estilo bizantino, da década de 1850, com capitéis entalhados, dourados e pinturas bizarras. Foi recebida com hostilidade ao ser inaugurada, no estilo de uma basílica italiana do século 11, mas hoje é um local da moda para casamentos. Na mesma rua fica a **Iveagh House**, primeiro edifício de Richard Castle em Dublin (1730), hoje bem modificado e sede do Departamento de Assuntos Exteriores.

▲ UNIVERSITY CHURCH

Iveagh Gardens

Seg-sáb 8h–18h, dom 10h–18h, fecha ao anoitecer no inverno. Acessíveis por um portão atrás do National Concert Hall (pág. 205) no Earlsfort Terrace, ou pela Clonmell Street (saindo da Harcourt Street), os pouco conhecidos Iveagh Gardens são um lugar perfeito para recarregar as baterias no centro da cidade. Projetado como área de lazer em 1863, este jardim secreto revela uma gruta, uma cascata, fontes, um labirinto e um roseiral.

Shaw's Birthplace

33 Synge St ⓣ01/475 0854, ⓦwww.visitdublin.com. Mai-set seg, ter, qui e sex 10h–13h e 14h–17h, sáb, dom e feriados 14h–17h; € 7, ou € 12 pelo ingresso combinado Dublin Tourism com o Dublin Writers' Museum ou o James Joyce Museum em Sandycove, ou outras atrações a escolher (pág. 203). O aclamado dramaturgo e escritor George Bernard Shaw nasceu neste despretensioso conjunto de casas em julho de 1856. Sua família, vivendo tempos difíceis, morou aqui por dez anos antes de se mudar para Harcourt Street.

A visita autoguiada da casa, equipada com mobília e decoração de época, além de objetos de Shaw, começa na **cozinha** do subsolo, onde o jovem Shaw procurava alívio da atmosfera "sem amor" dos domínios paternos do andar de cima. Também nesse andar ficam o quarto de empregada, bem básico, e um pequeno mas bem cuidado jardim com um austero banheiro externo.

No andar de cima ficam os **quartos** –o de Shaw é minúsculo– e uma sala claustrofóbica, toda em algodão

▼ IVEAGH GARDENS

grosso e veludo vermelho. No último andar fica a **sala de visitas** com um piano da época. Era aqui que a mãe de Shaw fazia suas *soirées* musicais e que o jovem Shaw teve seu primeiro contato com a música –depois ele iria se tornar crítico de música.

Fitzwilliam Square e arredores

A área a leste da St Stephen's Green é a melhor para um passeio pela arquitetura georgiana. Nela você verá muitas sacadas de ferro trabalhado e portas com elegantes aldravas e clarabóias, muito fotografadas. No centro ficam os gramados da pequena mas bem preservada Fitzwilliam Square (1825). **W. B. Yeats** morou aqui, no nº 42, de 1928 a 1932, e seu irmão, o pintor Jack B., teve casa e estúdio no nº 18 da Fitzwilliam Place, virando a esquina. Esta forma, juntamente com sua continuação, a Fitzwilliam Street, uma fileira de um quilômetro –hoje com várias interrupções– de **casas georgianas**, que seguem em direção às Wicklow Mountains.

RHA Gallagher Gallery

Ely Place ☎01/661 2558, ⓦwww.royalhibernianacademy.com. Ter-sáb 11h–17h, qui até 20h, dom 14h–17h; gratuito. Passeios guiados (45min) da exposição em cartaz qua 13h15; gratuito. Com suas exposições temporárias de artistas irlandeses e internacionais, a Royal Hibernian Academy da Arts' Gallagher Gallery é um dos principais locais para se apreciar **arte contemporânea** no país. Este edifício discreto de tijolo vermelho, construído

▲ ALDRAVA DE PORTA GEORGIANA

na década de 1970, fica no fundo de um calmo beco georgiano, onde antes era a casa de Oliver St John Gogarty, humorista, escritor e modelo para o Buck Mulligan de *Ulisses*. Seus bem projetados espaços abrigam a Exposição Anual da RHA, realizada geralmente em maio e junho, e incluem no térreo a **Ashford Gallery**, que mostra o trabalho de novos artistas, a maioria deles irlandeses.

Café

Unicorn Food Store

Merrion Row. Fecha dom. Bem montada deli-café que oferece comida deliciosa, basicamente italiana, também para viagem. É tudo muito acolhedor para o cliente que pode fazer suas escolhas –para sanduíches, você define o pão e o recheio entre uma vasta gama de opções, e as massas e saladas vêm em três tamanhos conforme a fome de cada um. Há um ótimo café e bolos para encerrar.

Restaurantes

Diep le Shaker

55 Pembroke Lane, saindo da Pembroke St Lower ⓣ01/661 1829, ⓦwww.diep.net. Fecha aos sáb no almoço e dom. Melhor e mais caro restaurante tailandês de Dublin. A decoração é vistosa e o cardápio, forte em peixe e frutos-do-mar, tem versões criativas de pratos autênticos, como salada de pomelo com camarão-tigre, vieiras com aspargos e ervilhas, ou o *sirloin steak* com molho de peixe, pimenta e lima.

Ely Wine Bar

22 Ely Place ⓣ01/676 8986, ⓦwww.elywinebar.ie. Fecha dom. Agradável e com preços adequados, esta vinheria oferece comida integral, com ingredientes escolhidos, a maioria orgânicos –alguns da fazenda da família em County Clare– que acompanham mais de 90 vinhos, servidos por copo. Há pratos simples como travessas de queijos, e outros elaborados, como o bacalhau com batata *sautée* e chorizo.

Havana

3 Camden Market, Grantham St ⓣ01/476 0046, ⓦwww.havana.ie. Fecha dom. Bar-restaurante tranquilo, com decoração exótica e som cubano suave, que serve pratos saborosos e baratos como a paella ou o cozido de lentilha e chorizo.

Nonna Valentina

1 Portobello Rd ⓣ01/454 9866, ⓦwww.dunneandcrescenzi.com. Numa casa atraente junto ao Grand Canal, este restaurante italiano parece fadado ao mesmo sucesso de seu similar, o Dunne & Crescenzi. Tem pratos autênticos ótimos, como massa de frutos-do-mar com molho de tomate e pimenta, e filé ao molho *bilberry*, e um serviço atencioso. É caro, mas tem preços razoáveis no almoço e para os primeiros clientes, de seg a sex.

Peploe's

16 St Stephen's Green North ⓣ01/676 3144, ⓦwww.peploes.com. Qualificando-se como bistrô de vinhos, este restaurante com vinheria chique no subsolo tem pratos bem feitos, de linguini com moluscos no vinho branco a cervo com purê de couve-flor e framboesa, servidos por pessoal afável muito bem vestido.

The Saddle Room

Shelbourne Hotel, 27 St Stephen's Green ⓣ01/663 4500. Espaçoso e de alto nível, este restaurante tem decoração que combina o antigo e o moderno: paredes de madeira escura e mesas com sofás com enfeites dourados, um bar de ostras e cozinha aberta. A ênfase fica para os filés e os frutos-do-mar, bem escolhidos e preparados, e para as criativas sobremesas.

The Unicorn

12B Merrion Court, off Merrion Row ⓣ01/662 4757. Fecha dom. Restaurante italiano de boa reputação e personalidade própria, muito frequentado por políticos, jornalistas e pessoal da mídia, que apreciam o ambiente aconchegante e a comida autêntica, que vai de um bufê variado de antepastos a pratos principais como *saltimbocca alla Romana* –presunto Parma recheado de vitela e sálvia. No verão, o agito passa do interior elegante para as mesas dispostas na alameda isolada da parte externa.

Pubs e bares

▲ THE ODEON

Anséo

18 Camden St. Local despretensioso com muitas banquetas de veludo para relaxar e um dos bares da moda pela sua atmosfera descontraída e pelos DJs. Na sala de cima tem jazz às quartas, e planos de colocar mais música ao vivo.

Carnival

11 Wexford St. DJ bar, popular –com máscaras venezianas espalhadas que justificam o nome–, luz suave e poucas mesas, que toca mais funk e jazz.

Doheny and Nesbitt

5 Baggot St Lower. Não se desaponte se o pequeno bar da frente deste famoso *pub*, de madeira escura e divisões de vidro, estiver lotado: há um bar espaçoso nos fundos –um bom lugar para ver esportes na TV– e seu pátio interno para fumantes é quase tão cobiçado hoje em dia quanto o ar puro.

The Horseshoe Bar

Shelbourne Hotel, 27 St Stephen's Green. Neste hotel de luxo reformado, os bancos de couro vermelho em ferradura e o balcão de mármore preservam o toque acolhedor de um *pub*. A recente retirada das gravuras satíricas de Hogarth sobre o bar não afastou os políticos e jornalistas da cidade, que ainda se juntam aqui para beber, contar histórias e tentar consertar o mundo.

The Odeon

Old Harcourt Street Station, Harcourt St. Abre tarde com DJ qui (até 1h30), sex (até 2h30) e sáb (até 2h30, couvert após 22h). Bar sofisticado, na antiga estação de trem, com objetos Art Déco, poltronas e um bar resgatado de um banco da África do Sul. Um dos poucos *pubs* gastronômicos de Dublin, tem comida moderna, como salmão com frigideira de sementes de mostarda e mexilhões. Ferve à noite mas é tranquilo no *brunch* de sábado e domingo. As mesas ao ar livre sob o pórtico da estação agora dão de frente para a parada do LUAS.

▲ O'DONOGHUE'S

O'Donoghue's

15 Merrion Row. Centro do renascimento da música folclórica e tradicional que começou no fim dos anos 1950, o O'Donoghue's sempre será associado a grupos musicais como os *The Dubliners*. Há shows toda noite a partir de 21h que atraem bastante público, em parte porque o *pub* faz parte do roteiro turístico. Mais cedo, porém, o bar simples de lajotas e o amplo pátio climatizado são bons locais para apreciar em paz uma boa Guinness.

Solas

31 Wexford St. Prático para quem vai ao The Village e ao Whelan's (página ao lado), este bar ruidoso e agitado oferece confortáveis bancos, bons DJs todas as noites da semana, e um atraente terraço ao ar livre no primeiro andar. O cardápio de influências mundiais inclui desde lanches rápidos a saladas e refeições quentes.

Toners

139 Baggot St Lower. A placa do lado de fora, "TONERS –A PUB", já diz tudo: básico, com piso de pedra, sala privada e divisórias espelhadas, e, mesmo quando lotado, você não precisa esperar muito para que lhe sirvam uma cerveja.

Casas noturnas e de espetáculo

Crawdaddy

Old Harcourt Street Station, Harcourt St ⊕01/478 0166, ⓦwww.pod.ie. Com o mesmo nome de uma famosa casa londrina de blues, este local pequeno e agitado programa principalmente bandas independentes, mas às vezes faz incursões também pelo jazz, reggae e world music.

POD

Old Harcourt Street Station, Harcourt St ⊕01/478 0166, ⓦwww.pod.ie. Alojado nos arcos da estação, o POD ("Place of Dance") já sofreu várias reformas em seus mais de dez anos de existência. Atualmente tem paredes de granito preto, infláveis em forma de ameba no teto e divisórias laranja –realçando a iluminação, cuja vibração acompanha os intensos ritmos criados por DJs da casa e convidados internacionais. As principais atrações são a noite Antics indie (qua), o Backbeat (qui) e o Stereotonic (sex) para quem gosta de dançar hardcore.

The Sugar Club

8 Leeson St Lower ⓣ01/679 7188, ⓦwww.thesugarclub.com. Local luxuoso no Southside saindo da St Stephen's Green, The Sugar Club tem entretenimento variado, geralmente fora do habitual (bandas, canções românticas, shows de humor, cabaré) –com espetáculos divinos, e outros terríveis–, mas o clima é sempre muito animado.

Tripod

Old Harcourt Street Station, Harcourt St ⓣ01/478 0166, ⓦwww.pod.ie. Combina local de música ao vivo (um dos maiores da cidade, para 1.300 pessoas), bar e casa noturna, com programação bem eclética (de Hayseed Dixie a Lee 'Scratch' Perry) e noites normais de clube, como a sempre lotada Heat (qua).

The Village

26 Wexford St ⓣ01/475 8555, ⓦwww.thevillagevenue.com. Faz enorme sucesso desde que abriu há dois anos. É irmão maior do Whelan's, com o dobro da sua capacidade (cerca de 750) e por isso agenda nomes mais conhecidos, embora tenha a mesma agenda eclética do irmão menor. Tem DJs toda noite no supermoderno bar (até altas horas qui-sáb).

Whelan's

25 Wexford St ⓣ01/478 0766, ⓦwww.whelanslive.com. Também tem um bar popular na frente, e acaba de celebrar quinze anos como um dos locais preferidos de espetáculos musicais da cidade, graças à sua extensa programação do velho e do novo –uma mistura de música tradicional, talentos emergentes e apresentações ocasionais de grandes nomes.

Temple Bar

Espremido entre a congestionada Dame Street e o rio Liffey, a área de Temple Bar é propagandeada, com uma boa dose de licença poética, como a "Rive Gauche" de Dublin (para complicar, fica na margem direita, no sentido da corrente do rio). Sua transformação em principal bairro cultural e de entretenimento da cidade ocorreu mais ou menos a partir da década de 1960, quando o plano para a construção de uma nova rodoviária foi abandonado depois de muitos adiamentos. Com isso, as ruas estreitas de pedra e os antigos armazéns, hoje ocupados por estúdios, ateliês e butiques, foram remodelados com bom senso na década de 1980, transformando a região num pólo das artes. Atualmente, além da grande concentração de galerias e centros de artes, Temple Bar abriga inúmeros restaurantes, *pubs* e clubes e sua vida noturna agitada atrai mais gente de fora de Dublin do que moradores.

Graphic Studio Gallery

Cope Street ☎01/679 8021, ⓦwww.graphicstudiodublin.com. Seg-sex 10h–17h30, sáb 11h–17h. Situada em um armazém reformado, numa pequena alameda, e anunciada pela palavra "ART" em neon vermelho, esta galeria comercial faz mostras mensais de gravuristas, em geral irlandeses, incluindo os que foram convidados para trabalhar em seu estúdio de gravura.

▼ TEMPLE BAR

Temple Bar Gallery and Studios

5–9 Temple Bar ☎01/671 0073, ⓦwww.templebargallery.com. Ter-sáb 11h–18h, qui até 19h. Gratuito. Esta galeria com patrocínio público, num prédio construído para esse fim na década de 1990 com trinta estúdios de artistas coligados, expõe artistas de ponta, irlandeses e internacionais.

Original Print Gallery

4 Temple Bar ☎01/677 3657, ⓦwww.originalprint.ie. Seg-sex 10h30–17h30, sáb 11h–17h, dom 14h–18h. Galeria comercial com exposições de gravuras atuais, tanto de artistas emergentes como consagrados, irlandeses e internacionais.

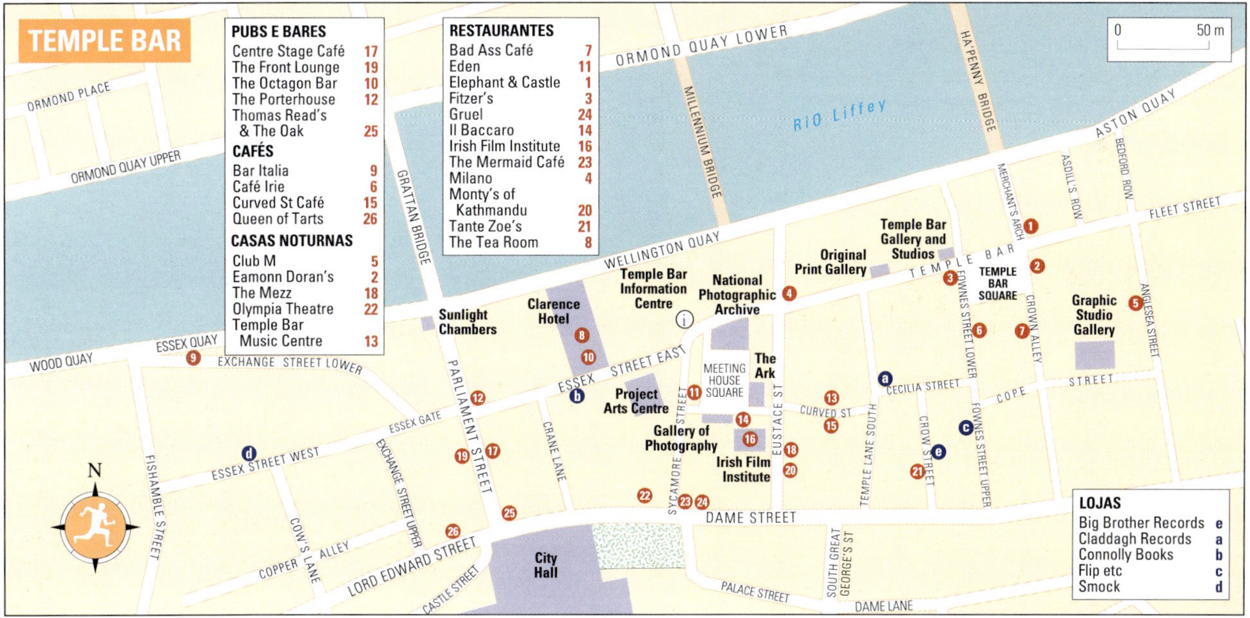
TEMPLE BAR
PUBS E BARES
Centre Stage Café 17
The Front Lounge 19
The Octagon Bar 10
The Porterhouse 12
Thomas Read's & The Oak 25
CAFÉS
Bar Italia 9
Café Irie 6
Curved St Café 15
Queen of Tarts 26
CASAS NOTURNAS
Club M 5
Eamonn Doran's 2
The Mezz 18
Olympia Theatre 22
Temple Bar Music Centre 13
RESTAURANTES
Bad Ass Café 7
Eden 11
Elephant & Castle 1
Fitzer's 3
Gruel 24
Il Baccaro 14
Irish Film Institute 16
The Mermaid Café 23
Milano 4
Monty's of Kathmandu 20
Tante Zoe's 21
The Tea Room 8
LOJAS
Big Brother Records e
Claddagh Records a
Connolly Books b
Flip etc c
Smock d
0
50 m
N
Rio Liffey
ORMOND PLACE
ORMOND QUAY UPPER
ORMOND QUAY LOWER
GRATTAN BRIDGE
MILLENNIUM BRIDGE
HA'PENNY BRIDGE
ASTON QUAY
WELLINGTON QUAY
ESSEX QUAY
WOOD QUAY
EXCHANGE STREET LOWER
FISHAMBLE STREET
ESSEX STREET WEST
ESSEX GATE
EXCHANGE STREET UPPER
COW'S LANE
COPPER ALLEY
LORD EDWARD STREET
CASTLE STREET
PARLIAMENT STREET
CRANE LANE
ESSEX STREET EAST
SYCAMORE STREET
MEETING HOUSE SQUARE
EUSTACE ST
CURVED ST
TEMPLE LANE SOUTH
CECILIA STREET
CROW STREET
FOWNES STREET LOWER
FOWNES STREET UPPER
TEMPLE BAR
TEMPLE BAR SQUARE
CROWN ALLEY
COPE STREET
MERCHANT'S ARCH
ASDILL'S ROW
BEDFORD ROW
FLEET STREET
ANGLESEA STREET
DAME STREET
PALACE STREET
SOUTH GREAT GEORGE'S ST
DAME LANE
Sunlight Chambers
Clarence Hotel
Temple Bar Information Centre
National Photographic Archive
Original Print Gallery
Temple Bar Gallery and Studios
Graphic Studio Gallery
Project Arts Centre
The Ark
Gallery of Photography
Irish Film Institute
City Hall

Informações

Temple Bar tem um centro de informações na Essex Street East (seg-sex 9h–17h30, sáb 10h–17h30/18h, dom 12h15h; ⓣ01/677 2255, ⓦwww.templebar.ie).

The Ark

11A Eustace St ⓣ01/670 7788, ⓦwww.ark.ie. Primeiro centro cultural da Europa especial para crianças (3–14 anos), com teatros, galerias e uma oficina. Consulte detalhes sobre peças, exposições, oficinas, festivais, concertos, palestras, ópera, dança e multimídia.

Irish Film Institute

6 Eustace St ⓣ01/679 3477, ⓦwww.irishfilm.ie. Numa casa de reuniões quaker reformada, o IFI, embora seja basicamente um cinema de arte (com uma boa livraria sobre cinema), evoluiu para um local mais amplo de lazer, e seu bar-restaurante (pág. 101) é um ponto da moda.

Gallery of Photography

Meeting House Square ⓣ01/671 4654, ⓦwww.irish-photography.com. Ter-sáb 11h–18h, dom 13h–18h. Gratuito. Vale a pena checar o que rola nesta galeria, que promove algumas grandes exposições de fotógrafos contemporâneos da Irlanda e do mundo todo, em salas bem equipadas, em cima de uma livraria sobre fotografia.

National Photographic Archive

Meeting House Square ⓣ01/603 0374, ⓦwww.nli.ie. Seg-sex 10h–17h, sáb 10h–14h. Gratuito. Das coleções de fotografia da National Library –600 mil fotos sobre temas da história da Irlanda, desde eventos políticos até fotos antigas de turismo–, o arquivo monta uma série de fascinantes exposições temporárias. A loja anexa vende postais e gravuras das coleções.

Project Arts Centre

39 Essex St East ⓣ01/881 9613 ou 881 9614, ⓦwww.project.ie. É o núcleo da cena de arte contemporânea de Dublin. Começou como projeto de arte no *foyer* do Gate Theatre e hoje promove teatro, dança, cinema, comédia e música ao vivo, além de ousadas apresentações de artes visuais e performáticas.

Sunlight Chambers

No começo da Parliament Street, que vai de Grattan Bridge ao pórtico neoclássico

▼ SUNLIGHT CHAMBERS

do City Hall, ficam as Sunlight Chambers, com sua curiosa fachada. Construída no início do século 20 como um palácio italiano da Renascença pela empresa de sabão Sunlight, o Chambers ostenta coloridos frisos de cerâmica em seu exterior, com o tema da higiene; por baixo da fuligem você pode imaginar fazendeiros e pedreiros sujando a roupa no nível de cima, e mulheres lavando-a no de baixo.

▲ PRAÇA DE TEMPLE BAR

Lojas

Big Brother Records

4 Crow St ⓣ01/672 9355, ⓦwww .bigbrotherrecords.com. Fecha dom. Loja de subsolo com tesouros em vinil e CDs, e foco em hip-hop, funk, soul, eletrônica e deep house; no mural tem folhetos sobre o melhor da cena clubber da cidade.

Claddagh Records

2 Cecilia St ⓣ01/677 0262, ⓦwww. claddaghrecords.com. Sem dúvida, a melhor loja de música tradicional de Dublin. Aqui você encontra praticamente qualquer gravação, e se não tiver certeza do que está procurando, o pessoal que atende pode orientá-lo muito bem. Também tem música irlandesa contemporânea, folclórica escocesa e inglesa, world music, country e blues.

Connolly Books

43 Essex St East ⓣ01/670 8707, ⓦwww.connollybooks.ie. Fecha dom. Animada livraria socialista que cobre a história da Irlanda, filosofia, política e biografia, além de livros sobre língua irlandesa, infantis e usados, e jornais, livretos e revistas de esquerda. Também promove eventos, encontros e conversas e planeja implantar um clube de cinema.

Cow's Lane Market

Sáb 10h–17h30, fechado jan e fev. Este pequeno mercado numa rua de pedestres concentra-se em roupas, bolsas e jóias contemporâneas femininas, de estilistas irlandeses emergentes –que em geral ficam tomando conta das bancas.

Flip, Helter Skelter e Sharp's Ville

4–6 Fownes St Upper ⓣ01/671 4299. Três pequenas lojas que vendem roupas usadas e novas, especialmente camisetas e roupas militares, além de quepes, bolsas e outros acessórios.

Smock

20–22 Essex St West ⓣ01/613 9000. Fecha dom. Roupas sofisticadas e para festas, para clientela mais velha, feitas por designers internacionais como Martin Margiela.

Temple Bar Food Market

Meeting House Square. Sáb 10h–17h. Os gourmets de Dublin vêm comprar aqui, mas também é uma boa opção para o almoço de sábado. Tem carne, frutas e legumes orgânicos, bancas de petiscos, comida mexicana, hot dogs, pães, bolos e inúmeros queijos, além de bar de ostras.

Cafés

Bar Italia

Essex Quay. Fecha dom. Pequeno café, gerido por italianos, situado numa esquina, com mesas ao ar livre na pequena praça em frente. *Croissants*, bolos e ótimo café; sanduíches saborosos, sopas, antepastos, saladas e uma massa especial todo dia, como a pappardelle de javali para o almoço.

▼ IL BACCARO

Café Irie

11 Fownes St Lower. Diariam 9h–21h. Café alternativo, com sanduíches baratos, roscas e trouxinhas com diversos recheios –no estilo "faça você mesmo" (carne, queijo, vegetal). Também serve saladas.

Curved Street Café

Filmbase, Curved St. Seg e ter 9h30–18h, qua 9h30–20h30, qui 9h30–19h30, sáb 12h–17h30. Local agradável no átrio do primeiro andar de um centro de cinema, usa ingredientes, especialmente o queijo, de pequenos produtores locais, e os transforma em saborosas sopas e sanduíches, como o de presunto, tomate seco e maionese Dijon com pão artesanal. Os bolos são atraentes, o café excelente e tem vistas da agitada alameda lá embaixo pelas janelas que vão do teto ao chão.

Queen of Tarts

4 Cork Hill, Lord Edward St. Pequena confeitaria e café, serve roscas, frituras vegetarianas e de carne e granola no café-da-manhã; tortas de frango, espinafre e queijo, salada grega e sanduíches para almoço. Nos intervalos, bolos frescos preparados ali mesmo.

Restaurantes

Bad Ass Café

9–11 Crown Alley ☎01/671 2596, ⓦwww.badasscafe.com. Popular, animado –foi neste restaurante que Sinéad O'Connor trabalhou como garçonete–, serve pizza, hambúrgueres, saladas e massas, e tem cardápio infantil e preços razoáveis.

Eden

Sycamore St/Meeting House Square ☎01/670 5372, ⓦwww.edenrestaurant.ie. Restaurante de alto nível, e mesas muito disputadas na praça durante o verão. Serve ótima cozinha irlandesa com um toque global, em pratos como as vieiras Castletownbere com batata quente e salada de toucinho. Tem cardápio mais barato no almoço (*brunch* no sáb e dom) e no início da noite (dom-qui).

Elephant & Castle

18 Temple Bar. Popular e aconchegante, com móveis de pinho, abre para café-da-manhã nos dias de semana e é concorrido nos *brunch*es de fim de semana. Mais tarde as escolhas vão de omeletes, hambúrgueres, saladas e sanduíches a pratos como cervo com purê de castanhas e cogumelos em molho de gim.

Fitzer's

Temple Bar Square ☎01/679 0440, ⓦwww.fitzers.ie. Filial de prestígio, com decoração minimalista, da renomada rede de restaurantes (pág. 74).

Gruel

67 Dame St. Comida saudável e barata em cozinha aberta, com café-da-manhã nos dias de semana. No almoço, bife a rolê, sopas, saladas e pizzas, também para viagem. À noite, tem preços mais baratos (não faz reserva e tem só um vinho da casa) em pratos como linguiça merguez com chutney de abricô e cuscuz, além de opções vegetarianas.

▲ THE MERMAID CAFÉ

Il Baccaro

Meeting House Square ☎01/671 4597. Fecha no almoço (exceto sáb). Trattoria amigável, com preço razoável, serve tentadores antepastos, bons pratos italianos, e vinho do barril, numa adega aconchegante.

Irish Film Institute

6 Eustace St. Ótimo para almoço ou jantar antes do filme, ou para um drinque, tanto no bonito bar como no átrio. As refeições simples vão de hambúrgueres, peixe com fritas e lasanha a bolinhos de peixe e salada de queijo de cabra, com muitas opções vegetarianas.

The Mermaid Café

69–70 Dame St ☎01/670 8236, ⓦwww.mermaid.ie. Restaurante chique de decoração moderna, com ênfase no serviço e na ótima comida com influências globais, com uma boa carta de vinhos. O cardápio curto, que muda a cada dois, três dias, inclui o prato característico: bolinhos de caranguejo New England com maionese picante. É caro, mas compensa no almoço quando oferece cardápio fixo de seg-sáb, e *brunch* aos dom.

Milano

19 Temple Bar ☎01/670 3384. Visitantes britânicos vão se sentir em casa nesta rede de Dublin, versão irlandesa do Pizza Express: a velha fórmula de boas pizzas, saladas e massas num ambiente casual.

Monty's of Kathmandu

28 Eustace St ☎01/670 4911, Ⓦwww.montys.ie. Fecha dom no almoço. Autêntico restaurante nepalês, com decoração simples e algumas deliciosas entradas e pratos principais, como suculentos camarões gigantes *tandoori* e frango picante *gorkhali,* cozidos com iogurte, pimenta, coentro e gengibre. Você pode pedir bolinhos recheados com frango ou legumes com 24h de antecedência. Cardápio mais barato no início da noite (seg-qui) e fixo no almoço.

Tante Zoe's

1 Crow St ☎01/679 4407, Ⓦwww.tantezoes.com. Único restaurante *cajun-creole* de Dublin, um local animado que serve camarão no molho de tomate picante e outros favoritos de Nova Orleans num ambiente sedutor. Tende a ser caro, mas tem cardápios mais baratos na hora do almoço (incluindo *brunch* com jazz ao vivo aos dom) e no início da noite.

The Tea Room

The Clarence Hotel, 6–8 Wellington Quay ☎01/670 7766, Ⓦwww.theclarence.ie. No hotel mais charmoso de Dublin, o Tea Room é um dos restaurantes mais elegantes da cidade, com um espetacular bar na sacada. O cardápio oferece produtos irlandeses da estação, dá tratamento europeu a pratos como John Dory com erva-doce grelhada, queijo de cabra e pinholi. É caro, mas o cardápio do início da noite e o do almoço oferecem bom custo-benefício.

▼ THE CLARENCE HOTEL

Pubs e bares

Centre Stage Café

6 Parliament St. Abre à noite qui-sáb. Bar gay, pequeno e discreto, em frente ao The Front Lounge, com decoração teatral de lustres e globos estroboscópicos; serve drinques e petiscos variados.

The Front Lounge

33 Parliament St ⓣ01/670 4112. Aberto até 2h30 sex e sáb, 1h dom. Atrás da fachada Art Déco, tem um sofisticado interior de pisos de madeira e poltronas e sofás vermelhos, com arte contemporânea nas paredes. Um sucesso entre gays e héteros de Dublin, também pelas várias atrações, como caraoquê nas terças, cabaré nas quartas e DJs nos fins de semana. Bons coquetéis e cappuccinos.

The Octagon Bar

The Clarence Hotel, 6–8 Wellington Quay. O bar octogonal do The Clarence (pág. 191), com luz artificial e painéis de carvalho, é um dos locais da moda em Dublin, mas não tem atmosfera exclusiva. O reservado pouco usual –como um banco de igreja enclausurado– é perfeito para confidências, e a lareira atrai todo mundo no inverno.

The Porterhouse

16 Parliament St ⓦwww.porterhousebrewco.com. Aberto até 2h qui, 2h30 sex e sáb. Excelente microcervejaria e bar, com imensos barris de metal em seu interior irregular mas confortável. Por € 5 você prova três *stouts*, incluindo a *oyster* (ostra) *stout* –não é piada, e tem gosto melhor do que se imagina. Boa comida, música ao vivo toda noite; aos domigos, música tradicional.

Thomas Read's e The Oak

1 Parliament St. Aberto até 1h qui, 2h30 sex e sáb. Dois bares bem diferentes interligados. O Thomas Read's é um café-bar com pé-direito alto, que lota de jovens nos fins de semana; durante o dia é mais calmo tornando-se um local ideal para bebericar enquanto se observa o fluxo de pessoas na esquina da Dame Street, bem em frente ao reformado City Hall. O bar ao lado, The Oak, é uma casa mais tradicional, para os que preferem um ambiente mais tranquilo e introvertido.

Casas noturnas e de espetáculo

Club M

Bloom's Hotel, 6 Anglesea St ⓣ01/671 5622, ⓦwww.blooms.ie. Fecha dom. É para a galera mais jovem e barulhenta, com três andares, cinco bares e shows de luzes a laser. Noites como a Cosmopolitan (sex) e a Therapy (seg) destacam DJs locais que combinam dance, hits e R'n'B.

Eamonn Doran's

3A Crown Alley ⓣ01/679 9114. O Doran's consolidou sua fama de abrigar bandas sem futuro e outras com bom potencial, e seu subsolo ainda oferece uma lista eclética de bandas e cantores, além das noites normais de uma casa noturna.

▲ THE MEZZ

The Mezz

23 Eustace St, ⓦwww.thehubmezz.com. Bar turbulento e grunge, com programação popular e eclética de música ao vivo e DJs. De terça (às vezes de qua) a domingo, você pode descer até o clube The Hub no subsolo, que geralmente apresenta bandas ao vivo –pode ser de música irlandesa tradicional ou punk– e depois a noite segue em frente com um DJ.

Olympia Theatre

Dame St ⓣ01/677 7744, ⓦwww.mcd.ie/venues/?c=olympiatheatre. Lugar antigo e querido, o Olympia apresenta vários eventos musicais, com grandes nomes da Irlanda, como Paul Brady e Luka Bloom, além de astros internacionais. Pela maior parte do verão, promove a música tradicional e o espetáculo de dança do grupo Ragus.

Temple Bar Music Centre

Curved St ⓣ01/670 9202, ⓦwww.tbmc.ie. Ousado e modernista, o TBMC tem programação radical, com foco em bandas independentes. A área do bar costuma ser usada para apresentações gratuitas e o local vira uma casa noturna de altas horas (até 3h) nos fins de semana –com muitos eventos temáticos.

Dublin Castle e arredores

Numa elevação à beira do Liffey, onde antes os vikings haviam se estabelecido, os invasores anglo-normandos reconstruíram Dublin no século 13 em volta de um sólido castelo. Vários outros remanescentes da hegemonia britânica podem ser encontrados em torno do castelo: a rotunda muito bem reformada do City Hall; a Christ Church Cathedral, com sua imensa cripta e fotogênica ponte coberta; e a St Patrick's Cathedral, que abriga um conjunto de memoriais. É possível visitar os luxuosos State Apartments dentro do Dublin Castle, mas eles atualmente foram ofuscados pela Chester Beatty Library, uma coleção de nível mundial de livros e objetos de arte do mundo todo. No lado leste do castelo, a South Great George's Street é um trecho agitado de restaurantes e bares, flanqueado pelas bancas de roupas, livros e discos do Market Arcade.

Dublin Castle

Entradas pela Dame St, Castle St e Ship St. Você pode andar livremente pelos **pátios** do Dublin Castle, uma miscelânea arquitetônica que abriga polícia e escritórios de impostos, além de vários tribunais montados para investigar a corrupção política da última década. O castelo foi sede do poder britânico na Irlanda por 700 anos, depois de fundado pelos anglo-normandos no início do século 13 como elemento principal de sua cidade murada, e resistiu a todas as tentativas de ser tomado à força. Mas sucumbiu a um grande incêndio em 1684 e foi reconstruído no século 18 como um complexo de prédios residenciais e administrativos sobre dois quadriláteros, o que lhe dá uma aparência tranquila, de prédio escolar.

Erguendo-se sobre o Lower Yard, a **Record Tower** é de 1258, mas foi reformada com ênfase gótica no início do século 19; era originalmente uma prisão e hoje, para manter a tradição, abriga o **Garda Síochána Museum**, cheio

▼ DUBLIN CASTLE

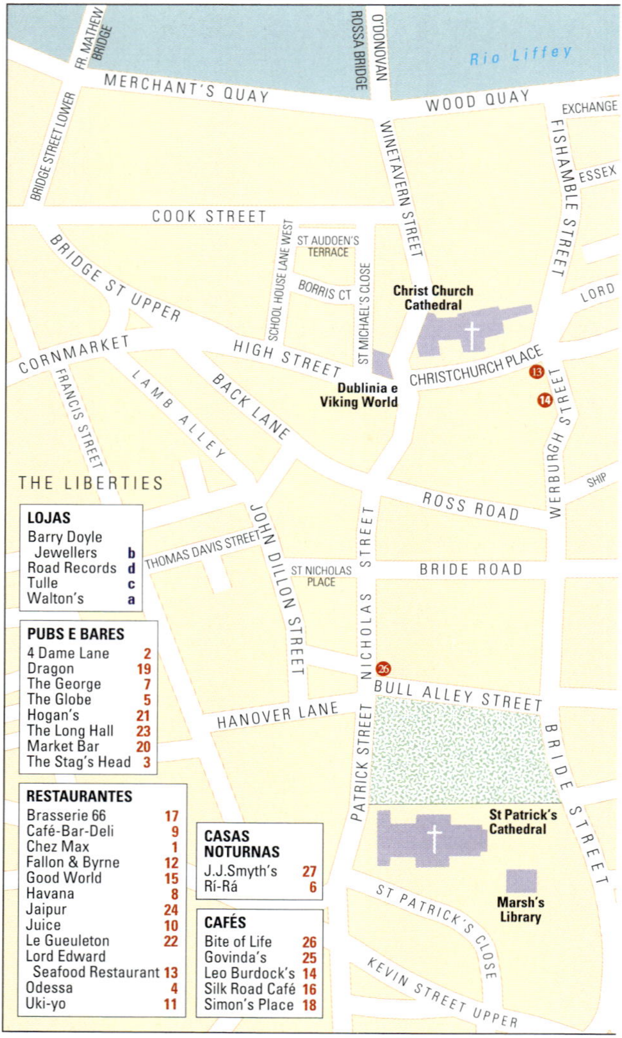

de objetos mofados da polícia irlandesa. Se estiver aberto (há um tempo foi fechado para reparos), vale a pena dar uma olhada na adjacente **Chapel Royal**, uma jóia do *revival* gótico; note especialmente o brasão de armas do vice-rei esculpido na grade da sacada e em volta do altar. Atrás da torre e da capela, dominado pela Chester Beatty Library, fica o belo **jardim** do castelo: hoje enfeitado

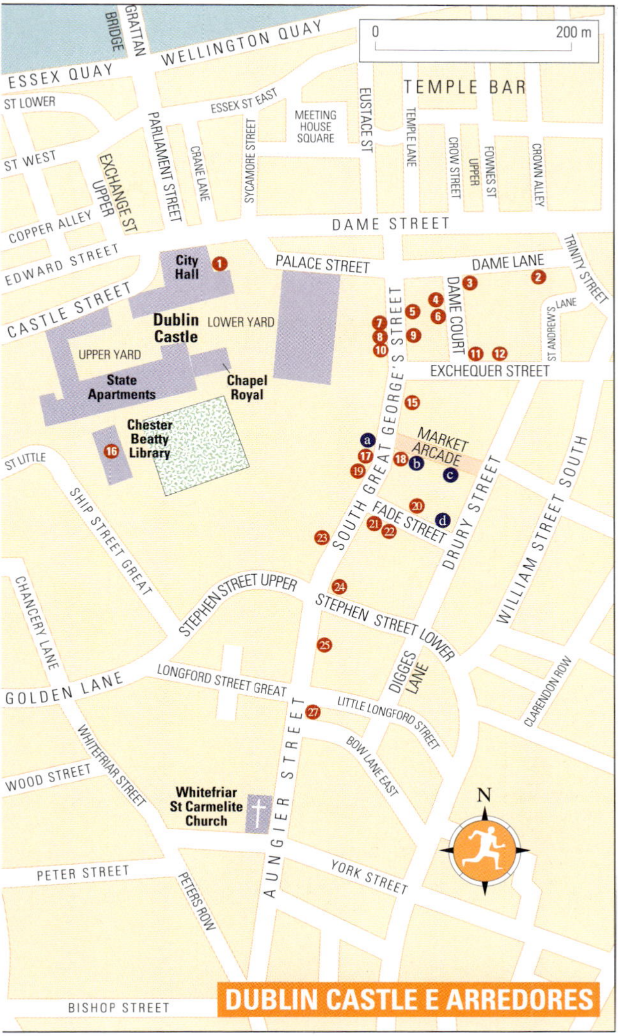

com um sinuoso motivo extraído da passagem tumular de Newgrange (pág. 181), ele marca o local da "black pool" (*dubh linn*) que deu à cidade seu nome inglês. O Upper Yard segue o contorno do castelo medieval. Acima do portão original, a Cork Hill State Entrance, fica a **estátua da Justiça**, sem venda e de costas para a cidade –para os irlandeses, um símbolo adequado do domínio inglês.

State Apartments e Undercroft

Dublin Castle ☎01/645 8813, ⓦwww.dublincastle.ie. Visitas guiadas apenas seg-sex 10h–16h45, sáb e dom 14h–16h45; 50min; € 4,50; Heritage Card. Ligue antes, pois os State Apartments às vezes fecham para eventos do governo, e neste caso visita-se o Undercroft (galerias subterrâneas) e a Chapel Royal ou os pátios. As vagas para os passeios são preenchidas por quem chega primeiro, por isso chegue cedo e, se preciso, agende um lugar mais tarde no próprio dia. Construído como residência do vice-rei inglês e com entrada pelo Upper Yard do castelo, os Apartamentos de Estado hoje abrigam eventos do governo –como a assinatura do pioneiro tratado anglo-irlandês por Taoiseach Garrett Fitzgerald e a primeira-ministra Margaret Thatcher em 1985. A Grand Staircase leva para a ala leste dos **quartos** e salas de estar, que tiveram de ser remobiliados após um grande incêndio em 1941, e recuperaram seu estilo original dos séculos 18 e 19. Os quartos serviram como hospital da Cruz Vermelha na Primeira Guerra Mundial, e foi aqui que, ferido, James Connolly, um dos líderes do Levante da Páscoa de 1916, foi medicado antes de ser levado a um pelotão de fuzilamento em Kilmainham Gaol. O destaque artístico da visita é *A condessa de Southampton,* de Van Dyck, um retrato hábil e contido –a não ser pelo cintilante vestido– de Elizabeth Leigh, aos 17 anos, às vésperas do casamento.

O lustre de metal na **Sala do Trono**, com seus emblemas de trevo, rosa e espinho, celebra o Ato de União, de 1801, e a **Picture Gallery,** mais adiante, é cheia de quadros de vice-reis, incluindo –escondido atrás da porta– o do primeiro marquês de Cornwallis, que não só perdeu as colônias da América, como enfrentou rebeliões como vice-rei, primeiro na Índia, depois na Irlanda (1798). O **St Patrick's Hall**, antes um salão de baile que abrigou investiduras dos Cavaleiros de St Patrick, serve hoje para posses e funerais de presidentes. Suas pinturas de teto do século 18 mostram St Patrick convertendo os irlandeses, Henrique II recebendo a submissão dos chefes da Irlanda e a coroação de Jorge III.

A visita termina nas escavações do **Porão** sob o Lower Yard, que revelaram a base da torre de pólvora do castelo medieval e degraus que levam ao fosso, nutrido pelo velho rio Poddle em seu curso até o Liffey, além de partes dos parapeitos vikings originais.

Chester Beatty Library

Dublin Castle ☎01/407 0750, ⓦwww.cbl.ie. Ter-sex 10h–17h, sáb 11h–17h, dom 13h–17h, mais mai-set seg 10h–17h; gratuito. Visitas guiadas qua 13h e dom 15h e 16h; gratuito. Alojada no Clock Tower Building do século

▼ CHESTER BEATTY LIBRARY

18, atrás do Dublin Castle, a Chester Beatty Library preserva uma impressionante coleção de livros, manuscritos, gravuras e objetos de arte do mundo todo. Os destaques são muitos: além de uma **coleção islâmica**, das melhores que existem, com manuscritos dos séculos 9º e 10º, a biblioteca guarda importantes **papiros bíblicos**, entre eles os mais antigos exemplos sobreviventes em qualquer língua dos evangelhos de Marcos e Lucas, das cartas de São Paulo e do Livro das Revelações. Elegantemente expostos em galerias *high-tech*, os artefatos contam a história das tradições religiosas e artísticas do mundo, com muito engenho, uma fórmula que merecidamente garantiu à CBL o prêmio de Museu Europeu do Ano em 2002.

A coleção foi formada pelo notável **Sir Alfred Chester Beatty**, magnata americano da mineração que se mudou, junto com suas obras, para Dublin na década de 1950, após fechar acordo com o governo irlandês sobre taxas de importação e de heranças. Em 1957, ele foi declarado primeiro cidadão honorário da Irlanda, e ao morrer, em 1968, legou sua coleção ao país e ganhou um funeral de estado.

A maioria das peças do CBL é acessível apenas a estudiosos na biblioteca de consultas, e menos de dois por cento ficam nas galerias públicas em qualquer época –embora isso seja suficiente para manter você ocupado por horas. Comece pela galeria do segundo andar, que cobre as Tradições Sagradas, enquanto o primeiro andar trata das Tradições Artísticas (junto com um espaço para exposições temporárias), e

▲ CITY HALL

ambos se dividem em três seções: Ocidental, Islâmica e Oriental. As peças expostas vão de gravuras bíblicas do século 16 de Albrecht Durer a livros entalhados em jade para imperadores chineses, e de livros de poesia persa com fabulosas ilustrações a serenas estátuas birmanesas do Buda.

City Hall

Dame St ⓦwww.dublincity.ie/cityhall. Seg-sáb 10h–17h15, dom 14h–17h; gratuito. Sob a reluzente rotunda restaurada do City Hall, colunas de pedra Portland, pontuadas por estátuas de **Daniel O'Connell** (primeiro prefeito católico da cidade) e outros notáveis, são banhadas pela maravilhosa luz natural que vem do domo. O suntuoso edifício neoclássico foi construído entre 1769 e 1779 como Royal Exchange, mas ficou em desuso depois que o Ato de União de 1801 devolveu o governo da Irlanda a Londres; a Dublin Corporation comprou-o em 1851, e ele ainda é o local em que se reúne a câmara da cidade.

Nos **murais** de Artes e Ofícios sob o domo, que traçam a história de Dublin, procure Lambert Simnel –o pretendente

▲ BRASÃO DE ARMAS DE DUBLIN, CITY HALL

de 10 anos de idade ao trono de Henrique VII– sendo carregado pelas ruas após sua coroação fictícia na Christ Church Cathedral em 1487; o malfadado Simnel acabou como ajudante de cozinha do rei. O colorido **mosaico** do piso mostra o brasão de armas, três castelos encimados por chamas, que representam o zelo dos cidadãos em defender Dublin – reforçados pelo slogan da cidade *Obedientia Civium Urbis Felicitas* ("Feliz a cidade cujos cidadãos obedecem").

The Story of the Capital

Dame St seg-sáb 10h–17h15, dom 14h–17h; € 4. Os arcos do City Hall hoje abrigam esta fascinante viagem multimídia pela história e pela política de Dublin –com ocasionais instantes de autopromoção do patrocinador da exposição, a câmara municipal. A história é contada por inúmeros painéis, bancos de dados interativos e uma série de vídeos, complementados por um divertido audioguia narrado pela atriz irlandesa Sinéad Cusack, com intervenções de destacados historiadores.

Há poucas peças para exibir, e uma notável exceção é o intrincado **selo da cidade** e sua caixa-forte, que, adotada depois que o selo foi roubado em 1305, exigia a presença de todos os seis guarda-chaves.

Dublin e o Messias

Em frente à catedral, na Fishamble Street ficava o Neal's Music Hall, onde Handel regeu os coros das catedrais Christ Church e de St Patrick na primeira audição do *Messias* em 1742. Como a renda ia para caridade, pediu-se às damas que não usassem aros nas anáguas, para caber mais gente nos assentos. O comentário de Jonathan Swift foi: "Oh, um alemão, um gênio, um prodígio". Num jardim do local, a homenagem ao compositor é uma estátua dele regendo nu, sobre tubos de um órgão. Todo 13 de abril, aniversário da primeira audição, a Our Lady's Choral Society apresenta trechos do *Messias* aqui, e os presentes cantam junto.

Para compensar esta falta de peças para expor, os curadores encomendaram uma série de **obras de arte**, como a *Coluna utópica*: uma pilha de placas de vidro gravadas com cenas históricas e inundadas de luz.

Christ Church Cathedral

☎01/677 8099, ⓦwww.cccdub.ie. Jun-ago diariam 9h–18h, jan-mai e set-dez 9h45-17/18h; € 5, ou € 3,95 para quem tem o ingresso Dublinia (pág. 112). Choral Evensong qua e qui 18h, sáb 17h, dom 15h30, Sung Eucharist dom 11h. Rodeada de prédios e trânsito, a Anglican Christ Church parece uma construção neogótica comum, mas seu interior revela sua longa história como sede do arcebispado de Dublin. Por volta de 1030, o rei viking de Dublin, Sitric Silkenbeard, ergueu aqui uma catedral de madeira, substituída pelos normandos entre 1186 e 1240 por uma magnífica estrutura em pedra. Desta, a cripta (ver "Tesouros da Christ Church" adiante), o **transepto,** que preserva entalhes românicos erodidos, e o notável **muro norte** inclinado ainda são visíveis –como a igreja foi erguida num pântano, o teto e o muro sul ruíram em 1562 e o lado norte saiu do prumo.

Na década de 1870, o empresário Henry Roe, do ramo de destilarias, gastou o equivalente a € 30 milhões na grande restauração que podemos ver hoje, e faliu.

Perto da entrada, fica o **túmulo de Strongbow**, líder normando que tomou Dublin em 1170. O túmulo original, junto ao qual os senhores de terras de Dublin se reuniam para recolher aluguéis, foi destruído quando o teto desabou, e trocado pela efígie do conde de Drogheda para que os negócios prosseguissem. A meia figura ao lado é provavelmente um fragmento do túmulo original, embora a lenda diga tratar-se da efígie do filho de Strongbow, cortado ao meio pelo próprio pai por ter sido covarde na batalha.

As capelas saindo do coro mostram os anglo-normandos celebrando a sua dupla nacionalidade. À esquerda fica a Capela de São Edmundo, o rei da Anglia do Leste no século 9º, martirizado pelos

▼ TÚMULO DE STRONGBOW, CHRIST CHURCH CATHEDRAL

vikings, e à direita a Capela de São Laud, bispo de Coutances, na Normandia, no século 6º. Aqui, as lajotas do piso são originais –foram replicadas por toda a catedral na década de 1870– e na parede há uma caixa de ferro contendo o coração embalsamado de St Laurence O'Toole, único arcebispo canonizado de Dublin, do século 12.

Tesouros da Christ Church

Christ Church Cathedral. Mesmo ingresso e horários do resto da catedral, mas no inverno, aos dom fecha depois do Choral Evensong.

Se você descer as escadas pelo transepto sul da Christ Church, alcançará a **cripta**, a parte menos alterada da catedral do século 12; antes um armazém para o comércio de bebida e tabaco, é uma das maiores criptas do Reino Unido e da Irlanda, estendendo-se sob a catedral inteira. Aqui fica a **exposição dos Tesouros da Christ Church**, que inclui um interessante audiovisual de 20 minutos sobre a história da catedral, além de uma miscelânea de manuscritos e peças de cerâmica da igreja. Procure pelo tabernáculo que parece feito de corda e por um par de castiçais feitos para Jaime II em sua fuga da Inglaterra em 1689, quando, por três meses apenas, celebrou-se de novo a missa em latim na Christ Church (a parafernália existente na catedral foi escondida rapidamente por oficiais anglicanos sob o caixão do bispo). Em extravagante contraste há uma travessa prateada, com cerca de um metro de largura, presenteada pelo rei Guilherme III como gratidão por sua vitória na Batalha de Boyne em 1690.

Dublinia e Viking World

High St ☎01/679 4611, ⓦwww.dublinia.ie. Abril-set diariam 10h–17h; out-mar seg-sex 11h–16h, sáb e dom 10h–16h; € 6,5, crianças € 3,75, ingresso familiar € 17.

Alojada no antigo Synod Hall da Igreja da Irlanda, Dublinia e o Mundo Viking oferece um retrato vivo e interativo da Dublin viking e medieval, especialmente divertido para crianças (ligue para saber detalhes das atividades especiais no verão). No térreo, temas como a feira medieval e a peste são vistos em reproduções de ruas e casas, com efeitos sonoros e muita diversão e interação, como atirar bolas num bandido preso a ferros.

O destaque do primeiro andar é uma fascinante **maquete de Dublin** em cerca de 1500, mostrando a cidade murada dominada pela Christ Church, e as salas vizinhas exploram as escavações dos assentamentos viking e medieval no Wood Quay. No segundo andar, a Great Hall,

▼ DUBLINIA

▲ BRIDGE OF SIGHS, CHRIST CHURCH

onde os bispos anglicanos se reuniam até 1982, é hoje a sede do **Mundo Viking**, que apresenta um barco viking em escala quase natural, audiovisuais sobre as sagas e a oportunidade de experimentar correntes de escravos.

Antes de atravessar a graciosa e muito fotografada **ponte** que leva à Christ Church Cathedral, vale a pena subir na **St Michael's Tower**, resto da Church of St Michael and All Angels, do século 17, para ter ótimas vistas da cidade.

St Patrick's Cathedral

Ⓣ01/475 4817, Ⓦwww.stpatrickscathedral.ie. Mar-out diariam 9h–18h; nov-fev seg-sex 9h–18h, sáb 9h–17h, dom 9h–15h; € 5. Não se admitem visitantes, exceto para as missas, que incluem o Choral Matins seg-sex 9h40 (no período escolar); Choral Evensong seg-sex 17h45 (exceto qua em jul e ago), dom 15h15; Choral Eucharist/Matins dom 11h15. A história de St Patrick é notavelmente similar à de sua colega rival anglicana Christ Church: foi erguida entre 1220 e 1270 em estilo gótico, mas seu teto desabou em 1544, entrando em um declínio que incluiu seu vergonhoso uso como estábulo pelo exército de Cromwell em 1649. Mas sua restauração vitoriana por Sir Benjamin Guinness na década de 1860 foi mais sensata que a da Christ Church, e ela transmite a sensação de ser mais habitada, graças em parte ao complexo de estranhos **monumentos funerários**. À direita da entrada, na nave bem proporcionada, há vários memoriais a **Jonathan Swift**, o deão da catedral por 32 anos, incluindo seu túmulo e o de Stella, seu púlpito e mesa, e uma réplica de seu crânio –tanto o seu corpo como o de Stella foram desenterrados por frenologistas vitorianos, que estudavam crânios de famosos. No transepto sul fica o monumento ao arcebispo Marsh (pág. 114), melhor trabalho do escultor Grinling Gibbons na Irlanda. A Porta da Reconciliação, no transepto norte, lembra uma disputa entre os condes de Kildare e Ormond em 1492. Ormond se refugiou na catedral, mas Kildare abriu um buraco na porta e enfiou a mão por ali para se reconciliar com ele –o que é tido como a origem da expressão anglo-saxônica "chancing your arm" (arriscar o braço por uma causa perdida).

No canto noroeste da nave há uma laje entalhada com uma cruz celta, que marcava o local de um poço perto da catedral, onde São Patrício batizava os convertidos no século 5º.

Jonathan Swift

"Aqui jaz o corpo de Jonathan Swift... no qual a feroz indignação não consegue mais dilacerar o coração. Vá, viajante, e imite se puder este sério e dedicado campeão da liberdade."

O epitáfio de Swift na St Patrick's Cathedral, escrito por ele e traduzido aqui do latim, mostra não só seu pendor para a sátira política e a propaganda, mas também uma certa antevisão da longevidade de sua fama. Nascido em Dublin em 1667 e educado no Trinity College, Swift foi para a Inglaterra em 1689 trabalhar como secretário do diplomata aposentado Sir William Temple. Lá encontrou Esther Johnson, apelidada de **Stella**, a filha do mordomo de Temple, que se tornou sua companheira –numa relação platônica ou sexual, não se sabe– até a morte dela em 1728.

Ordenado na Irlanda em 1695, Swift escreveu anonimamente sua primeira obra, **Uma história de um tonel** (1704), uma sátira às igrejas oficiais e à falta de escrúpulos dos escritores "modernos" da época. Enviado a Londres para pressionar o governo a isentar a igreja de taxas, desde 1710 participou da vida literária e política inglesa, sendo amigo de ministros tóris e de Alexander Pope e John Gay. Quando os tóris caíram, em vez de obter o bispado inglês que ansiava, foi feito deão da St Patrick's Cathedral (1713). Dirigiu então seu humor cáustico para as injustiças irlandesas, com vários textos de 1720 a 1730, como **Uma modesta proposta**, um dos mais ricos exemplos de ironia em língua inglesa, que sugere que os irlandeses pobres vendam os filhos aos ricos como "a mais deliciosa, nutritiva e saudável comida". Em 1726 escreveu sua obra mais famosa, *As viagens de Gulliver*.

Os últimos anos de Swift foram ofuscados por uma doença mental progressiva que causava tonturas, e quando ele morreu em 1745, deixou sua herança para a construção de St Patrick's na James's Street, o primeiro hospital psiquiátrico da Irlanda.

Voltando para a entrada, não perca o bizarro **monumento Boyle**, que Richard Boyle, conde de Cork, erigiu em 1632 em memória à sua esposa, Katherine, que lhe deu 15 filhos, entre eles o famoso físico Robert Boyle (mostrado no nicho do centro, embaixo). O vice-rei Wentworth, ao negar-se a cumprir a obrigação de ajoelhar diante de um Corkman, obteve a transferência do monumento daqui para o lado do altar, mas Boyle vingou-se anos depois arquitetando a execução de Wentworth.

Marsh's Library

St Patrick's Close, ⓦwww.marshlibrary.zie. Seg e qua-sex 10h–13h e 14h–17h, sáb 10h30–13h; € 2,50. Mais antiga biblioteca pública da Irlanda, a Marsh's Library felizmente foi bem preservada desde sua construção em 1701 por Sir William Robinson, o arquiteto do Kilmainham Hospital, e é também biblioteca de pesquisa e conservação. Seu fundador, **arcebispo Narcissus Marsh**, interessava-se por ciências, matemática e música, e supervisionou a primeira tradução do Antigo Testamento para o irlandês. Seus livros compõem uma das quatro principais coleções da biblioteca, com 25 mil obras relativas aos séculos 16, 17 e início do 18. Ficam em lindas estantes de

▲ MARSH'S LIBRARY

carvalho escuro, com uma aba entalhada e com letra (para catalogação) encimadas por uma mitra bispal, e há três recintos envidraçados onde os leitores se trancavam com livros raros.

A biblioteca faz **exposições** sobre temas como astronomia e expõe a máscara mortuária de seu primeiro diretor, Jonathan Swift (ver ao lado), e uma réplica do crânio de Stella.

Whitefriar Street Carmelite Church

Aungier Street ⓦwww.carmelites.ie. Restabelecida em 1827 no local de um priorado carmelita dissolvido, a Whitefriar Street Carmelite Church atende a uma ampla amostra de católicos com um arsenal de santuários e estátuas. A **Nossa Senhora de Dublin**, imagem em carvalho do século 15 da Virgem com o Menino, ocupa lugar de honra na entrada, e foi a única imagem de madeira que sobreviveu à dissolução dos mosteiros da Irlanda. Usada como manjedoura de porcos após a Reforma, foi resgatada na década de 1820 de uma loja de penhores perto da St Mary's Abbey, pelo padre Spratt, que refundou a igreja. Mas não havia sinal da coroa de prata da imagem, que dizem ter sido usada na coroação fictícia de Lambert Simnel na Christ Church Cathedral em 1487 (pág. 110).

A Whitefriar Street também assisitu a muitas promessas de amor, pois um caixão no lado norte da igreja contém os restos de **são Valentino**, mártir romano do século 3º, doados pelo papa Gregório XVI em 1835.

▼ ST VALENTINE, WHITEFRIAR STREET CARMELITE CHURCH

Lojas

Barry Doyle Jewellers

Upstairs, 30 Market Arcade, South Great George's St ⓣ01/671 2838, ⓦwww.barrydoyledesign.com. Fecha dom. Design contemporâneo, incluindo finos colares de prata, em todas as faixas de preço. Aceita encomendas.

Market Arcade

Entre South Great George's St e Drury St. Algumas lojas abrem dom. Tranquilo mercado coberto, semialternativo, que vende livros e discos usados, roupas, jóias e alimentos. O excelente café Simon's Place (ver pág. ao lado) fica aqui.

Road Records

16B Fade St ⓣ01/671 7340, ⓦwww.roadrecs.com. Escondido junto à South Great George's Street, é especialista em independentes, eletrônica e country alternativo, com vinil e CDs. Também é boa em novos lançamentos e em nomes irlandeses alternativos.

▼ MARKET ARCADE

▲ TULLE

Tulle

28 Market Arcade, South Great George's St ⓣ01/679 9115. Fecha dom. Butique moderna, tem de tudo, de brim a vestidos de noite e modelos exclusivos para ocasiões especiais, de designers internacionais como Malene Birger.

Walton's

69 South Great George's St ⓣ01/475 0661. Escola de música ⓣ01/478 1884, ⓦwww.newschool.ie. Escola de música fecha dom. A principal loja de música de Dublin, com linha completa de instrumentos irlandeses tradicionais, partituras e CDs de artistas irlandeses. A escola de música agregada oferece cursos de duas horas (para cinco pessoas, no mínimo) para iniciantes, de flauta irlandesa ou de bodhrán, os dois instrumentos de música irlandesa mais populares –e fáceis de aprender.

Cafés

Bite of Life

55 Patrick St. Pequeno e acolhedor café com flores frescas nas mesas e jornais para ler, o Bite of Life serve comida excelente e barata, como rolinhos de *ciabatta* com recheios criativos, saladas, sopas e bolos caseiros –o bolo de *biscuit* de chocolate é uma delícia.

Govinda's

4 Aungier St www.govindas.ie. Seg-sáb 12h–21h. Excelente café vegetariano dirigido por Hare Krishnas, serve samosas, saladas, pizzas e hambúrgueres, além de pratos do dia, como massa e legumes gratinados. Tem também ótimos sucos e *lassis*, além de bolos e outras sobremesas.

Leo Burdock's

2 Werburgh St. Diariam 12h–24h. Famoso local de peixe e fritas (só para viagem, mas o jardim da Christ Church Cathedral fica em frente), com serviço atencioso. O cardápio, várias vezes premiado, inclui tiras de peixe frito ao limão. Tem fila no almoço e à noite.

Silk Road Café

Chester Beatty Library, Dublin Castle. Mesmo horário do museu (pág. 125). Este café de museu, com estilo e preço adequado, que invade o átrio iluminado da biblioteca, vale a visita. O *chef* (que é de Jerusalém, um dos locais de caça favoritos de Chester Beatty) tem preferência por comida do Oriente Médio –mussaca de cordeiro, *falafels*, torta de espinafre e feta e muitas opções vegetarianas– além de saladas muito boas e sanduíches criativos. Para rematar, tem ótimo café e delícias como *rahat lokum* e baclavá.

Simon's Place

Market Arcade, South Great George's St. Fecha dom. Local diferente e despretensioso com móveis simples de madeira, popular pelas sopas, saladas, sanduíches e excelente café. Bom local para saber o que rola na cidade, pois tem sempre folhetos e cartazes de divulgação.

Restaurantes

Brasserie 66

66 South Great George's St 01/400 5878, www.brasseriesixty6.com. Típico bistrô internacional moderno, com decoração adequada e sem adereços supérfluos (toalhas de chá em vez de guardanapos, e você mesmo corta o pão). Tudo isso, é claro, para centrar a atenção na comida, despretensiosa e bem preparada, com ingredientes bem escolhidos, em pratos excelentes com preço adequado, como escalope de vitela empanado com salada de rúcula. Há uma boa escolha de vinhos, por taça, e serve café-da-manhã em dias de semana e *brunch* nos fins de semana.

Café-Bar-Deli

12–13 South Great George's St, www.cafebardeli.ie. Um antigo Bewley's Café que foi bem reformado sem perder sua cara: mesas com sofás vermelhos

▼ SILK ROAD CAFÉ

confortáveis, mobília bentwood, frisos de metal e um bar de mármore branco. O cardápio de preço razoável, com comida simples, também é um destaque, e tem entradas interessantes; massas como *rigatoni* com gorgonzola, espinafre e creme; saladas mediterrâneas; pizzas finas e crocantes; e sobremesas de dar água na boca. Não faz reservas.

Chez Max

1 Palace St ☎01/633 7215. Típico bistrô francês, decorado com pôsteres antigos, com cardápio noturno de pratos clássicos como o *boeuf bourguignon*, complementado por *porc aligot* (conserva de miúdos de porco com alho e purê de queijo) e outros da região do proprietário, Lozères, sudoeste da França. No almoço, saladas e pratos simples, com um prato do dia de preço adequado, e travessas de frios e queijos o dia inteiro. Serve café-da-manhã francês simples seg-sex, e um cardápio barato no início da noite de dom-qui.

Fallon and Byrne

11–17 Exchequer St ☎01/472 1000, ⓦwww.fallonandbyrne.com. Paraíso dos gourmets numa central telefônica reformada: tem uma mercearia no térreo, uma sedutora brasserie em estilo parisiense no andar de cima –que serve de hambúrguer e ostras a pratos de influência francesa como traseiro de cordeiro com lentilhas Puy– e uma loja e vinheria no subsolo, com comida mais barata, como travessas de queijo e frios, mas num ambiente menos atraente.

Good World

18 South Great George's St ☎01/677 5373. Abre diariam até 3h. De dia serve *dim sum* (12h30–18h), muito popular aos domingos, e de noite chegam clientes habituais –às vezes barulhentos, vindos dos *pubs*–, atrás de um cardápio barato especializado em frutos-do-mar e frituras.

Havana

South Great George's St ☎01/400 5990, ⓦwww.havana.ie. Fecha dom no almoço. Filial do favorito da Camden Street (pág. 92), com a mesma fórmula de sucesso na decoração, no cardápio e no som. Salsa e merengue ao vivo sáb até 2h.

Jaipur

41 South Great George's St ☎01/677 0999, ⓦwww.jaipur.ie. Só à noite. Decoração moderna e muitas opções de comida indiana de rico sabor, e caras, como o delicioso curry Goan de frutos-do-mar e pratos vegetarianos, com bom serviço e boa carta de vinhos. Cardápios fixos vão do mais barato no início da noite até o menu degustação por € 50.

Juice

73–83 South Great George's St ☎01/475 7856. Restaurante vegetariano e vegan com preço moderado e estilo. O *chef* é mais criativo à noite, com pratos como fritas, *mushroom Wellington* e *juiceburger* de feijão-azuki; no almoço tem pratos mais simples e baratos, como tabule e tofu. O menu do início da noite (seg-sex) tem ótimo preço.

Le Gueuleton

1 Fade St. Fecha dom. Restaurante da moda em Dublin, serve ótima comida de bistrô francês em cozinha aberta a preços razoáveis. Pratos bem feitos como cavala com cebolinha, batatas com aioli, e vinho francês de preço adequado, seguidos por sobremesas criativas. Não faz reserva por

telefone, mas você pode ir pessoalmente e deixar reservado para mais tarde.

Lord Edward Seafood Restaurant
23 Christchurch Place ☎01/454 2420. Fecha sáb almoço e dom. Inaugurado em 1890, e sem muitas mudanças, o Lord Edward oferece uma combinação tradicional e simples de pratos de frutos-do-mar –o cozido de peixe é uma especialidade–, atendimento tradicional com garçons de gravata-borboleta e preços adequados. Fica no segundo andar, com lindas vistas da Christ Church Cathedral. O bar e salão do *pub* de mesmo nome embaixo serve também boa comida (seg-sex no almoço).

▲ ODESSA

Odessa
13–14 Dame Court, off Dame St ☎01/670 7634, ⓦwww.odessa.ie. Serviço atencioso, decoração e música adequadas, tanto nos bancos aveludados do térreo como nas poltronas de couro do subsolo. O cardápio abrangente destaca pratos como trouxinhas de espinafre, ricota e amêndoas, além de um peixe do dia; oferece *brunch* aos fins de semana e um cardápio mais barato para os primeiros clientes de dom-qui.

Uki-yo
7–9 Exchequer St ☎01/633 4071, ⓦwww.ukiyobar.com. Abre 2h30 qui, sex e sáb. Bar-restaurante coreano e japonês chique, com uma nova versão das salas privadas de Dublin: reservados de caraoquê nos fundos por € 25 a hora. Na frente, curta os petiscos do bar, como os bolinhos de camarão e carne de porco, ou sente nas robustas mesas de madeira escura e saboreie um *teriyaki* de salmão e curry de frango; há um cardápio mais barato para os primeiros clientes e uma seleção de vinhos e saquês.

Pubs e bares

4 Dame Lane
4 Dame Lane ☎01/679 0291. Abre até 1h30 seg-qui e dom, 3h sex e sáb. Anunciado por braseiros acesos pela alameda desde The Stag's Head (pág. 21), este arejado e minimalista bar-clube supera em estilo seus rivais de tijolo e madeira. Tem boa música: de *techno* a funk, com DJs à noite no bar do térreo, e sexta e sábado no salão do primeiro andar.

▲ UKI-YO

Dragon

64 South Great George's St ☎01/478 1590. Aberto até 2h30 seg e qui-sáb. Animado bar gay no prédio de um antigo banco, decorado com veludos em tons púrpura, vermelho e azul e gravuras de temas botânicos, Budas e dragões. Tem pista de dança, bancos confortáveis e um terraço no primeiro andar. Shows de *drags* às seg, DJs qui-sáb.

The George

89 South Great George's St ☎01/478 2983. Aberto até 2h30 qua-dom. O mais antigo bar gay da Irlanda ainda lota nos fins de semana. A fachada é púrpura com placa de neon oferecendo "Bona Polari" (gíria romena adotada pelos gays e que quer dizer "bom papo"), e o interior se estende por dois ambientes: um espaço principal com luxuosa decoração em dois andares, e um *pub* mais calmo à direita. A diversão inclui cabaré, noites de *quiz*, DJs e bingo de dom à noite com *drag queen*, e o Shirley Temple-Bar.

The Globe

11 South Great George's St. Bar agitado, muito frequentado por estudantes e gente na faixa dos 20, talvez por sua ausência de um conceito de design: só mesas compridas, de madeira, tijolo aparente e meia-luz. Jazz ao vivo nas noites de domingo.

Hogan's

35 South Great George's St. Aberto até 1h qui, 2h30 sex e sáb. Outro favorito do pessoal jovem que gosta de cerveja, muito agitado no fim de semana quando fecha tarde. Ambiente à vontade, com imensos janelões para a rua, música eclética, sofás e poltronas irresistíveis.

The Long Hall

51 South Great George's St. Um clássico de longa data, com enfeites de gesso, espelhos e madeira escura, um bar comprido, bom atendimento e excelente Guinness.

The Market Bar

Fade St. Fecha dom no almoço. "*Superpub*" civilizado que não toca música, num imenso espaço de tijolo com decoração simples (antigo matadouro), particularmente atraente de dia por causa do teto de vidro. Bom para um drinque, embora o cardápio, voltado para *tapas* globais, seja menos bem-sucedido.

The Stag's Head

1 Dame Court. Lindo bar vitoriano, todo em estofados e madeira escura, com azulejos e vitrais, que atrai um pessoal variado. Chegue cedo para conseguir lugar no reservado, mas mais à noite você, com sorte, consegue lugar junto das grandes janelas do andar de cima. O cardápio (seg-sáb almoço) oferece comida barata e simples de *pub*: peixe e fritas, repolho cozido com bacon, sopa e sanduíches.

Casas noturnas e de espetáculo

Rí-Rá

13 Dame Court ⓣ01/677 4835, ⓦwww.rira.ie. Hoje é mais uma instituição do que uma novidade, mas ainda há muitas emoções neste local em dois níveis, especialmente quando o incrível Dandelion comanda o som às segundas na tradicional noite "Strictly Handbag" –excelente som e um clima singular. Às sextas tem DJs convidados, às vezes com nomes internacionais.

J.J. Smyth's

12 Aungier St ⓣ01/475 2565. Melhor lugar do Southside para bandas de blues e jazz-fusion (especialmente nas noites de domingo e quinta), tem uma sala intimista no andar de cima que ferve a maioria das noites ao som dos melhores blueseiros e músicos de som instrumental da cidade.

Liberties e Kilmainham

Enquanto o impacto da recente expansão econômica da Irlanda é claramente visível em outras áreas da cidade, o bairro predominantemente operário de Liberties permanece na sua maior parte inalterado. A principal atração é passear por suas agitadas ruas e mercados, para encontrar, por exemplo, alguma boa oferta num dos antiquários da Francis Street. O nome da área vem das várias liberdades que oferece, como aluguéis baratos e circulação fácil por todos os seus distritos, fartamente servidos por transporte público. Com a chegada dos huguenotes no século 17, a região tornou-se um centro efervescente de comércio, principalmente de artigos têxteis mas, com o declínio desse ramo no século 19, entrou em decadência e seu nome virou sinônimo de pobreza. Tais condições fomentaram os anseios republicanos e, mais tarde, o sindicalismo. Na parte leste do bairro fica a histórica igreja de St Audoen, e a oeste, o museu Storehouse, da Cervejaria Guinness, uma das empresas mais lucrativas da Irlanda. Ainda mais a oeste, o bairro de Kilmainham abriga o inovador Irish Museum of Modern Art e a Kilmainham Gaol, antiga prisão indelevelmente associada à luta da Irlanda pela independência.

St Audoen's

Church of Ireland St Audoen's, Cornmarket, High St ⓣ01/677 0088, ⓦwww.heritageireland.ie. Jun-set diariam 9h30–17h30, última admissão 16h45. Gratuito. A oeste da Christ Church Cathedral há duas igrejas contrastantes dedicadas a **St Audoen** (em francês, Ouen, em português

A história da Guinness

Fundada por Arthur Guinness em 1759, a **Guinness Brewery** fabricava a cerveja *ale*, mas na década de 1770 começou a produzir a *porter*, bebida popular entre os carregadores dos mercados de Londres que logo obteve aceitação na Irlanda. A nova cerveja de Arthur, cuja cor escura é dada pela adição de cevada tostada ao processo de fermentação, fez tanto sucesso que em 1796 já era exportada para Londres. Três anos mais tarde a produção de *ale* foi encerrada e, daí em diante, Guinness e seus sucessores familiares mantiveram a produção da *porter*. No seu auge em meados do século 20, a empresa produzia quase 1 milhão e meio de litros por dia. A demanda caiu desde então, mas a Guinness ainda é a favorita dos dublinenses.

santo Ádon), bispo de Rouen no século 7º e santo padroeiro da Normandia. O severo edifício do católico santo Ádon é de 1846, e a versão da Igreja da Irlanda, construída pelos anglo-normandos por volta de 1190, é hoje um curioso local turístico, embora ainda haja missa todo domingo –a igreja vem sendo continuamente usada para cultos há mais tempo que qualquer outra de Dublin.

O apelo da igreja medieval reside na fascinante evidência física de como a sorte oscilou ao longo dos séculos. Conforme prosperava com a associação às corporações de ofícios da cidade, a igreja original, com seu portal românico ricamente modelado, ganhou um presbitério e a St Anne's Guild Chapel, que passaram a compor uma **nave** dupla. A capela é hoje a principal área de exposições, com interessantes mostras sobre a paróquia, as associações e a arquitetura da igreja. Por volta do século 15, era a igreja paroquial de maior prestígio entre as famílias de Dublin, e o acréscimo em 1455 da Portlester Chapel marcou o seu auge. Após a Reforma, no entanto, muitos membros da Guild of St Anne recusaram-se a virar protestantes, e por volta do século 19 a igreja havia encolhido de novo para sua nave única original. Hoje você pode percorrer o presbitério sem teto e a **Portlester Chapel** onde, antes do edifício ser declarado monumento nacional, os moradores da região punham suas roupas para secar.

Vale a pena descer as escadas atrás da igreja protestante até a Cook Street para ver o **St Audoen's Arch** do século 13, e um trecho restaurado de 70 metros, dos muros normandos da cidade.

Francis Street

Atualmente passando por uma restauração gradual, a Francis Street é um grande centro de comércio de **antiguidades** em Dublin e abriga alguns belos *pubs*. O nome da rua vem da abadia franciscana, fundada em 1235, cujo local é hoje ocupado pela igreja neoclássica de St Nicholas of Myra, construída em 1830 para celebrar a emancipação católica na Irlanda. Logo ao norte fica o **Iveagh Market Hall**, financiado pelo então Lord Iveagh, Edward Cecil Guinness. O edifício está fechado há alguns anos, mas sua fachada ainda ostenta várias cabeças esculpidas de comerciantes mouros e orientais. Dizem que o barbudo e bochechudo é o próprio E. C. Guinness.

Maternity Hospital Gateway

Na Coombe, uma das mais antigas ruas da cidade, fica o único vestígio do velho Coombe Maternity Hospital. Fundado em 1826 por uma sra. Boyle quando uma jovem morreu dando à luz ao tentar chegar ao Rotunda Hospital do outro lado do rio, o hospital mudou para Dolphin's Barn

▼ MATERNITY HOSPITAL GATEWAY

há várias décadas. Seu **portão** ainda prova a existência de uma série de pessoas excêntricas de Dublin cujos apelidos foram gravados na pedra. Fica fácil supor que Nancy Needle Balls (Nancy "Balaio de Agulhas") gostava de tricotar, mas é difícil imaginar o que faziam Stab the Rasher (Stab "Fatia de Toucinho") ou Johnny Wet Bread (Johnny "Pão Molhado").

Guinness Storehouse

St James's Gate ⓣ01/408 4800, ⓦwww.guinness-storehouse.com. Diariam: jul e ago 9h30–19h, set-jun 9h30–17h. € 14. Os sete andares do armazém da Guinness ocupam uma pequena parte dos 25 hectares da St James's Gate Brewery, um complexo tão imenso que já teve até seu próprio sistema ferroviário, do qual sobrevivem alguns trilhos

▼ GUINNESS STOREHOUSE

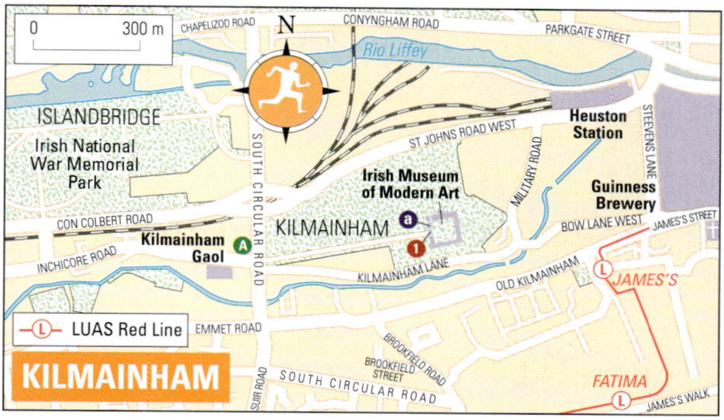

LOJAS
IMMA Bookshop a
The Liberty Market b

CAFÉ E CASA DE ESPETÁCULO
Grass Roots Café 1
Vicar Street 4

PUBS E BARES
The Brazen Head 2
The Fountain 5
O'Shea's Merchant 3

HOSPEDAGEM
Brewery Hostel B
Hilton Dublin Kilmainham A

nas ruas dos arredores. Com certeza você vai sentir o aroma de cerveja ao chegar perto.

A **visita autoguiada** ao Storehouse é uma exploração dos primeiros três andares deste templo *high-tech* da cerveja preta. Começa com uma explanação do processo de fermentação –um pouco de água (não do Liffey, apesar do mito), além de cevada, lúpulo e malte–, passando depois para as áreas de armazenagem e transporte, a última delas ainda com uma antiga locomotiva. Um barril imenso domina a seção sobre a antiga arte de construção desses recipientes.

O resto da visita consiste em uma impressionante série de anúncios antigos, apoiados por muitas informações sobre o império da Guinness. Há uma galeria dedicada a John Gilroy, um respeitado pintor empregado pela empresa, que foi responsável pela marca original Guinness –um pelicano–, até ser mudado por outro empregado, a romancista Dorothy L. Sayers.

Bem no alto do edifício fica o destaque da visita, um bar onde você saboreia um brinde, uma caneca da Guinness, talvez a melhor da cidade, vendo lindas **vistas** de Dublin com o campo ao fundo.

Irish Museum of Modern Art

Royal Hospital, Military Rd ⓣ01/612 9900, ⓦwww.imma.ie. Ter-sáb 10h–17h30, dom e feriados 12h–17h30. Visitas guiadas das exposições qua, sex e dom 14h30; gratuito. Visitas guiadas do Royal Hospital, hora em hora, jul a meados-set seg-sáb 11h–16h, dom 13h–16h; gratuito; para agendar ⓣ01/612 9967.

Ocupando o antigo Royal Hospital, o Irish Museum of Modern Art (IMMA) tem uma merecida reputação por suas criativas **exposições**, com obras de seu próprio acervo ou emprestadas. Todas as mostras são temporárias, e vão de retrospectivas de grandes artistas internacionais a mostras de novas obras de pintores e escultores irlandeses atuais. Algumas das exposições mais

▲ IRISH MUSEUM OF MODERN ART

interessantes do IMMA se apóiam no acervo de **Outsider Art** do museu –em geral, pinturas de artistas espontâneos que exploram a complexidade da psique– e na coleção Madden Arnholz de **gravuras de grandes mestres**, como Goya, Rembrandt e Hogarth, entre outros.

O **Royal Hospital** foi erguido entre 1680 e 1684 por William Robinson (também responsável pela restauração do Dublin Castle) por ordem do duque de Ormonde, inspirado no hospital Les Invalides de Luís XIV em Paris. Fica em volta de um pátio, com uma fachada que é um modelo de geometria em pedra cinza, e um **interior** com um impressionante salão de banquetes, retratos dos séculos 17 e 18 e uma capela barroca com uma reconstrução em papel machê do teto e entalhes em madeira do huguenote James Tarbaret. Há uma pequena exposição junto à recepção do IMMA na ala sul, dedicada à história do hospital.

Kilmainham Gaol

Inchicore Rd ⓣ01/453 5984, ⓦwww.heritageireland.ie. Abr-set diariam 9h30–17h; out-mar seg-sáb 9h30–16h, dom 10h–17h. Visitas guiadas a cada 45min até 1h15 antes de fechar; € 5,30; Heritage Card. Kilmainham Gaol é um ícone da história da luta da Irlanda pela independência e, em seus últimos anos, virou símbolo do martírio político da Irlanda e da opressão britânica. Concluída em 1796, virou local de encarceramento de revolucionários capturados, entre eles os líderes do **Levante da Páscoa** de 1916, executados aqui. Mesmo após a Guerra de Independência, houve republicanos presos aqui, mas o local fechou em 1924 após a soltura de seu último interno, Éamon de Valera –mais tarde Taoiseach e presidente da Irlanda.

As **visitas guiadas** oferecem uma comovedora visão das condições de vida dos internos e do regime espartano da prisão. Suas celas individuais forçavam os internos a uma contemplação solitária, e como o prédio foi construído sobre calcário, sua saúde era muito afetada pela umidade e pelos rigores do inverno.

Antes da visita, vale a pena ver as **galerias de exposições**. A mostra do térreo tem uma maquete de uma cela e uma câmera de fichar detentos. Aqui fica também uma pequena galeria com pinturas de internos da Guerra Civil e um imenso auto-retrato bastante indulgente de Constance Gore-Booth (mais conhecida como condessa Markiewicz, ver pág. 87) como a "Boa Pastora". A galeria do andar superior oferece um fascinante relato da luta pela independência com inúmeros objetos, velhas sequências de filmes de Michael Collins (pág. 167), a máscara mortuária do revolucionário Robert Emmet (1778-1803) e a carta ordenando a soltura de Charles Stewart Parnell.

Irish National War Memorial Park

Con Colbert Rd, Islandbridge ⓦwww.heritageireland.ie. Seg-sex 8h–anoitecer, sáb e dom 10h–anoitecer. Gratuito. Projetado por Sir Edwin Lutyens e inaugurado em 1939, os pavilhões, monumentos, fontes e lagos deste parque homenageiam os 50 mil irlandeses mortos na Bélgica e no norte da França lutando pelo exército inglês durante a Primeira Guerra Mundial. Seus nomes estão inscritos em **livros memoriais** de granito que

▼ PORTÃO DE KILMAINHAM

ficam em um par de pavilhões localizados em cada uma das extremidades do parque. Os jardins são um local tranquilo, com vistas do Phoenix Park do outro lado do Liffey, e também um prazer em termos de horticultura, especialmente na primavera.

Lojas

Francis Street

As lojas de antiguidades daqui merecem ser exploradas por suas boas ofertas que vão de mobília a lareiras em ferro fundido, luminárias antigas, vitrais, além de adereços e objetos de arte.

IMMA Bookshop

Royal Hospital, Kilmainham. O melhor lugar para ir, não só pelos livros de arte moderna e pela parafernália relativa às peças expostas no museu, mas pela grande coleção de títulos sobre arquitetura moderna.

The Liberty Market

Meath St. Qui-sáb 10h–17h. Um labirinto de bancas que vendem de tudo, desde roupas baratas e calçados a pôsteres da banda Westlife e uniformes de times de futebol.

Café

Grass Roots Café

IMMA, Royal Hospital, Kilmainham. Servindo desde lanches até almoço completo por preços razoáveis, este café no subsolo do IMMA também oferece uma poderosa xícara de café.

Pubs e bares

The Brazen Head

20 Bridge St Lower ☎01/679 5186. Inaugurado em 1189 e proclamando ser o *pub* mais velho da Irlanda, o Brazen Head tem várias salas em volta de um grande pátio –com todo tipo de adereços ligados à música pelas paredes. Há música tradicional toda noite (e também dom 1h30–16h30), mas a qualidade das apresentações musicais varia bastante.

The Fountain

63–64 Meath St. Um típico bar à moda antiga, popular entre os comerciantes locais.

O'Shea's Merchant

12 Bridge St Lower ☎01/679 3797. Em frente ao famoso Brazen Head, o Merchant preserva a atmosfera caseira de um *pub* do interior no centro da cidade e é um santuário para os *culchies* (caipiras), em especial os do condado de Kerrymen. Na alta estação tem música tradicional toda noite, a partir de 22h, incluindo dança em grupo às segundas e quartas. Também é um bom lugar para assistir a uma partida de futebol gaélico.

Casa de espetáculo

Vicar Street

58–59 Thomas St West ☎01/454 5533, Ⓦwww.vicarstreet.com. Melhor local para shows de música da cidade, tem 300 lugares e boa programação de música ao vivo, teatro e outros eventos, sempre destacando grandes nomes.

Arredores da O'Connell Street

Seguindo para o norte a partir da O'Connell Bridge até a Parnell Square, a O'Connell Street é a principal artéria do Northside de Dublin. Cheia de impressionantes memoriais e tendo como um dos destaques a notável escultura de aço inoxidável de 120 metros, a *Spike*, esta agitada rua foi concebida originalmente no estilo dos majestosos bulevares parisienses. Pouco remodelada desde os danos que sofreu por ocasião do Levante da Páscoa de 1916, hoje a rua é muito mais uma bagunça de fachadas de lojas modernas, embora ao olhar para os andares de cima seja possível ver ainda um pouco de sua antiga glória. Mas as ruas em volta são um paraíso do consumo e particularmente na Liffey Street Lower e no florescente bairro italiano centrado na Bloom Lane (resultado do fascínio de um construtor local por tudo o que se relaciona com a Toscana), você encontrará muitos bares e cafés cheios de estilo. Entre os marcos culturais, a leste da O'Connell Street estão o Abbey Theatre, foco do renascimento do teatro irlandês no século 20, e, ao longo dos Quays, a exuberante Custom House do século 18.

Ha'penny Bridge

Ponte de ferro fundido que é a mais famosa de Dublin, também é a mais antiga via de travessia do rio para pedestres e oferece belas vistas ao longo do cais, em ambas as direções. Começou em 1816 como Wellington Bridge, mas logo ganhou o apelido atual graças a uma taxa de meio pêni *(half penny)*, cobrada até 1919.

O'Connell Street

Esta rua tem muitos **monumentos**, a maioria

▲ BONDES NA O'CONNELL STREET

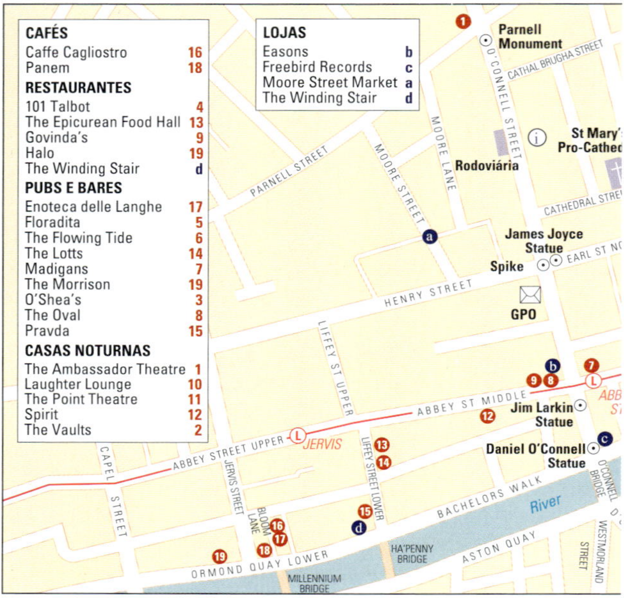

em seu amplo espaço central. Depois da O'Connell Bridge, você encontra a imponente figura de **Daniel O'Connell**, o Libertador, que teve papel decisivo nas campanhas políticas de independência do século

▼ ESTÁTUA DE JIM LARKIN, O'CONNELL STREET

19. As figuras aladas ao lado dele representam a bravura, o patriotismo, a fidelidade e a eloquência, e a figura feminina menor simboliza a Irlanda desacorrentada. Na esquina com a Abbey Street, fica a estátua que Oisín Kelly fez de **Jim Larkin**, importante sindicalista da primeira metade do século 20, retratado como se estivesse discursando para uma multidão.

Mais adiante, na esquina com a Earl Street North, o marco mais notável da cidade se ergue no ponto ocupado antes pelo Nelson's Pillar, implodido em 1966 –é a incrível Dublin Spire, ou **Spike** (Estaca), como é chamada, construída para celebrar a entrada da cidade no novo milênio (mas concluída somente em 2003). Projeto de Ian Ritchie, esta agulha de aço inox de 120 metros de

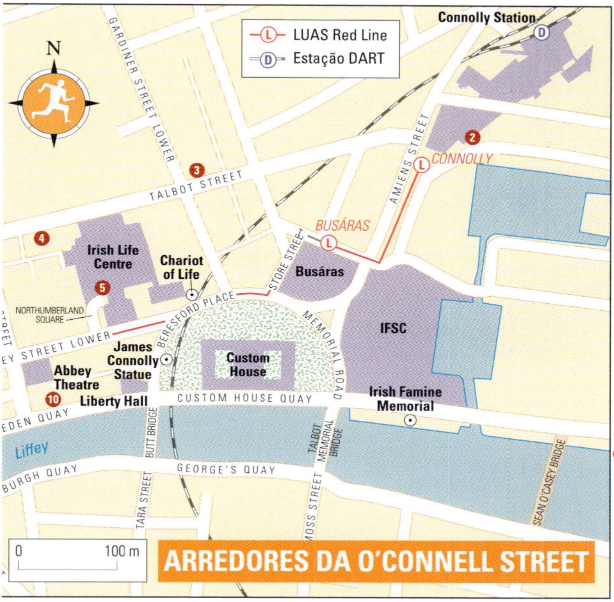

altura, encimada por um farol, é de longe a maior estrutura do centro. Com três metros de largura na base, ela afunila até apenas 15cm no topo. De manhã cedo ou ao anoitecer, sua superfície ganha uma cor azul etérea e à noite erguer-se ameaçadora sobre a cidade. O que será que o fantasma do escritor **James Joyce**, cuja estátua fica logo descendo a Earl Street North, deve achar disso?

Perto do final da O'Connell Street fica o monumento a **Charles Stewart Parnell**, figura de destaque do movimento irlandês pelo Home Rule (auto-governo) do século 19.

General Post Office

O'Connell St Lower. Seg-sáb 8h–20h; gratuito. O edifício do Correio Central tem um significado crucial na história política da Irlanda. Na Páscoa de 1916, **Pádraig Pearse** (pág.159) plantou-se em sua porta para ler uma proclamação em nome do Governo Provisório da República Irlandesa, declarando o país independente da Grã-Bretanha. Os rebeldes resistiram seis dias no GPO, um dos edifícios tomados naquele dia, durante o qual grande parte da área em volta foi bastante danificada pela luta. Mas o poder da artilharia britânica era bem superior e os insurgentes incendiaram o GPO antes de fugir. A maioria, no entanto, foi capturada –incluindo Pearse– ou se rendeu nas ruas próximas.

A primeira reação pública ao **Levante da Páscoa** foi muito hostil. A maior parte do centro de Dublin estava em ruínas e havia mais de 1.300

▲ GENERAL POST OFFICE

pessoas mortas ou feridas com gravidade. Mas a execução pelos britânicos de todos os líderes do Levante (exceto Éamon de Valera, que não era irlandês) provou ser um erro e desencadeou um crescente clamor pelo Home Rule.

O próprio GPO, de 1818, não sobreviveu ao Levante, salvo seu **pórtico** jônico que ainda tem marcas de armas de fogo. Dentro, a visão mais fascinante é a da intrincada estátua de bronze de Oliver Sheppard, **A morte de Cúchulainn**, que representa um momento-chave da lenda irlandesa *Táin Bó Cúailnge*.

Abbey Theatre

26 Abbey St Lower ☎01/878 7222, www.abbeytheatre.ie. Visitas aos bastidores ter e qui 14h30; € 6; ligue ☎01/887 2223 para agendar.

Ponto central da revitalização cultural da Irlanda no século 20, o Abbey Theatre abriu as portas em dezembro de 1904 com três peças, duas do poeta e dramaturgo **W. B. Yeats** e outra da sua protetora, **Lady Gregory**. A companhia do teatro se profissionalizou em 1906, e Yeats e Gregory, junto com J. M. Synge, foram seus primeiros diretores. A encenação da tragicomédia de Synge, *Playboy of the Western World,* no ano seguinte, com sua linguagem franca e a sugestão de que os camponeses irlandeses iriam tolerar um assassinato, provocou tumultos na estréia. Depois, em 1926, a peça de Seán O'Casey, *The Plough and the Stars,* provocou grande escândalo, pois a platéia considerou sarcástica sua visão do Levante da Páscoa, ainda mais porque o teatro começara a receber verbas do Estado no ano anterior.

O Abbey original foi destruído por um incêndio em 1951 e seu substituto, mais moderno, embora com um exterior sinistro, foi inaugurado em 1966. As **visitas guiadas** –obrigatórias para conhecer os vínculos entre a cultura irlandesa e a política– abrangem o palco e os bastidores e relatam momentos-chave da história do Abbey. Sua **programação** é abrangente, incluindo clássicos irlandeses e novas obras de autores consagrados, como

▼ A MORTE DE CÚCHULAINN

Hugh Leonard e Brian Friel, enquanto o **Peacock Theatre,** bem menor, no subsolo, encena obras experimentais.

Em 2005, a má administração financeira quase levou o Abbey a fechar, mas a ajuda do governo garantiu seu futuro e permitiu a reforma de seu interior. No entanto, há planos de transferir o teatro para novas instalações nas docas.

St Mary's Pro-Cathedral

Marlborough St ⓣ01/874 5441, ⓦwww.procathedral.ie. Seg-sex 7h30–18h45, sáb 7h30–19h15, dom 9h–13h45 e 17h30–19h45, feriados 10h–13h30; gratuito. Com uma fachada de seis colunas inspirada no templo de Teseu em Atenas, a St Mary é a principal igreja católica da cidade. Sua posição numa rua transversal decorre da oposição protestante aos planos de situar o edifício na Sackville Street (hoje O'Connell Street), local que acabou sendo ocupado pelo General Post Office. A St Mary foi inaugurada em 1825 mas só adotou seu nome inteiro de Pro-Cathedral no fim do século 19, quando o status de "substituta" de uma catedral católica (que a cidade não tinha desde a Reforma) foi sancionado pelo arcebispo de Dublin, Dr Walsh. O atual arcebispo continua a exercer o cargo de sacerdote paroquial da igreja.

Apesar da impressionante fachada, há poucas atrações no interior, e a Pro-Cathedral é hoje mais conhecida pelo seu coro masculino, o **Palestrina Choir**, fundado em 1903 e que leva o nome do compositor italiano do século 16. O coro pode ser ouvido cantando missa em latim todo domingo às 11h, mas em julho e agosto seu lugar é ocupado por coros visitantes.

Custom House

Custom House Quay. Inaugurado em 1791, o imponente edifício da alfândega é um dos vários marcos de Dublin projetados pelo arquiteto inglês **James Gandon** (os outros são o Four Courts e a O'Connell Bridge). Construída sobre um banco submerso junto ao rio, que precisou ser coberto com uma camada de placas de pinho, e ostentando detalhes arquitetônicos de Gandon, a Custom House custou 500 mil libras esterlinas, soma espantosa para a época, que se revelou ainda mais extravagante quando o Ato da União transferiu a alfândega para Londres, em 1800.

O **exterior** neoclássico do edifício, com cem metros de extensão, tem esculturas do contemporâneo de Gandon, Edward Smyth –cabeças de gado simbolizando a pecuária da Irlanda e esculturas dos rios do país, como o Liffey, sobre a entrada principal. Seu domo de 35 metros de altura foi inspirado no Greenwich Hospital de Christopher Wren.

▼ LIFFEY STREET LOWER

Em 1801, a Custom House virou centro administrativo das obras de higiene pública e assistenciais. Sofreu um grande incêndio em 1833 e foi destruído por dentro em 1921 após um ataque do IRA. Restaurado, com grandes mudanças no interior e na fachada, sedia instituições do governo; entre os funcionários mais ilustres estão Brian O'Nolan, mais conhecido como o humorista Flann O'Brien, e o compositor Percy French.

Arredores da Custom House

Dobrando a esquina da Custom House, em Beresford Place, em frente ao Liberty Hall, sede do SIPTU, maior sindicato da Irlanda, fica, adequadamente, a estátua de **James Connolly** –teórico socialista, ativista sindical e um dos líderes do Levante da Páscoa. Perto, na esquina com a Abbey Street Lower, a notável escultura de Oisín Kelly, **Chariot of Life,** mostra um cocheiro tentando controlar os cavalos, representando o conflito entre paixão e razão. O mastodôntico International Financial Services Centre domina o lado leste da Memorial Road, símbolo do boom econômico do "Tigre Celta" na década de 1990.

▼ DOMO DA CUSTOM HOUSE

Irish Famine Memorial

Custom House Quay. Situado entre o volumoso IFSC e o rio Liffey, estes seis **bronzes em tamanho natural** foram desenhados e fundidos pelo escultor dublinense Rowan Gillespie para marcar o 150º aniversário do pior ano da **Grande Fome** (1845-49), ou o 47 Negro, como é às vezes chamado. Nessa crise, mais de um milhão de pessoas morreu de fome e outro milhão e meio emigrou, e o governo britânico não tomou nenhuma providência, continuando a exportar comida da Irlanda para o mundo. Não é à toa, portanto, que estas figuras desoladas, suplicantes, estejam olhando para leste.

Lojas

Eason's

40 O'Connell St Lower. Abre mais tarde na qui até 20h45, sex até 19h45. A maior filial da rede de lojas irlandesa oferece ampla variedade de livros, além de uma rica coleção de jornais e revistas. Tem uma filial da Tower Records no primeiro andar e um café no segundo.

Freebird Records

Downstairs, 1 Eden Quay. Abre mais tarde qui até 19h30; fecha dom. A Freebird tem um fabuloso estoque de CDs novos e usados nas suas estantes, cobrindo todos os gêneros musicais –rock, hip-hop, reggae, jazz, blues e folk. Para quem se interessa pelos artistas locais, vale dar uma olhada na grande seção

▲ ESTÁTUA DE JAMES CONNOLLY

de bandas e cantores irlandeses independentes.

Moore Street Market

Moore St. Seg-sáb 10h–18h. Este agitado mercado de rua –uma instituição de Dublin de longa data– e suas lojas adjacentes refletem a mudança étnica ocorrida na cidade. Os tradicionais açougues, peixarias e mercearias ainda estão presentes, mas você verá etiquetas de preços também em cantonês, e há várias bancas afro-caribenhas no mercado.

The Winding Stair

40 Ormond Quay Lower. Fecha dom. O térreo desta livraria e restaurante (ver adiante) está repleto de livros usados, e se destaca pelas excelentes seções de literatura irlandesa e biografias.

Cafés

Caffe Cagliostro

Bloom Lane. Pequeno café italiano, esplêndido, que serve talvez o melhor café do Northside e deliciosos doces, com jornais para manusear. Se o tempo estiver bom, é provável que você encontre também mesas do lado de fora.

Panem

21 Ormond Quay Lower. Pequeno mas bem montado, o Panem serve uma grande variedade de lanches e petiscos por preços razoáveis, sopas recém-preparadas, uma deliciosa *focaccia* caseira, além de massas de diversos tipos. Não deixe de experimentar o chocolate quente, que é considerado o melhor da Irlanda.

Restaurantes

101 Talbot

100–101 Talbot St ☎01/874 5011, ⓦwww.101talbot.com. Fecha o dia inteiro dom e seg e no almoço de ter-sáb. Quem conhece faz reservas com antecedência neste restaurante. As entradas criativas, como a salada quente de lula em estilo vietnamita, são um prelúdio para os deliciosos pratos de influência mediterrânea, como o cordeiro crocante com especiarias marroquinas ou os pimentões vermelhos assados, com pistache e legumes, servidos com muito estilo. Oferece um cardápio de três pratos para os primeiros clientes a chegar na casa (€ 21,50) até 20h.

The Epicurean Food Hall

13–14 Liffey St Lower. Este centro de gastronomia vai deixar você indeciso com suas 12 opções de restaurantes (e um bar). Você pode escolher entre o peixe com fritas do Leo Burdock e uma tentadora *street food* chinesa, ou, se for mais sofisticado, optar pelo delicioso *boeuf bourgignon* do Christophe, servido a preço razoável. Uma boa pedida para os que não querem uma refeição de verdade é pedir um maravilhoso café com *bruschettas* no La Corte.

Govinda's

84 Abbey St Middle. Aberto até 21h seg-sáb; fecha dom. Este vegetariano com cozinha do sul da Índia trouxe variedade culinária ao Northside. É um restaurante gostoso, barato e localizado em local arejado cujo cardápio oferece várias sopas saborosas e pratos como couve-flor, batata e curry de cenoura, servidos com iogurte *dill* fresco, *dhal* e arroz –em porções generosas. Prove os *malpoora* (pequenas roscas fritas) e o *lassi* de manga.

Halo

Morrison Hotel, Ormond Quay Lower ⓣ01/887 2421, ⓦwww.morrisonhotel.ie. Design supermoderno combinado com cozinha de apresentação primorosa fazem do Halo o paraíso dos gourmets. O cardápio junta ingredientes irlandeses com uma seleção cosmopolita de ervas, especiarias e outras delícias. As entradas incluem vieiras grelhadas com polenta e molho de romã; os pratos principais são à base de peixe e carne, como o filé de lúcio frito em molho de trufas, ou o lombo de cervo em suco de aniz e canela. Normalmente uma refeição de três pratos sai por € 50 (mais o vinho).

The Winding Stair

40 Ormond Quay Lower ⓣ01/872 7230. Muitos lamentaram o fim do velho café no andar de cima da livraria The Winding Stair (pág. 135), mas outros aplaudiram o novo restaurante, com ambiente despojado e receptivo, além de ótima comida, com frutos-do-mar e pratos com ingredientes de excelentes fornecedores irlandeses –e mais as vistas da Ha'penny Bridge e do Liffey.

Pubs e bares

Enoteca delle Langhe

Bloom Lane. Um dos marcos do recém-criado bairro italiano de

▼ THE FLOWING TIDE

Dublin, a Enoteca traz o sabor de um bar napolitano, servindo ampla linha de vinhos e um pequeno e original cardápio de antepastos e pratos principais.

Floradita

Irish Life Mall, Abbey Street Lower ☎01/878 1032, ⓦwww.floradita .co.uk/dublin. A casa mais recente de uma rede com filiais em Londres, Madri e Moscou é um local de bom gosto, em dois níveis, com restaurante no andar superior de cozinha cubana e latino-americana saborosa –embora um pouco cara–, às vezes com bandas ao vivo. O bar do térreo é especializado em coquetéis cubanos extravagantes.

The Flowing Tide

9 Abbey St Lower. Há muito ligado ao Abbey Theatre, em frente, este *pub* tem janelas com belos vitrais, um mural sobre a história do teatro e um bar em forma de ferradura. Ótimo para uma boa cerveja e um sanduíche reforçado na hora do almoço.

The Lotts

9 Liffey St Lower. Muitas vezes só dá para ficar em pé neste acolhedor bar de esquina, que proclama ser o menor do Northside. Oferece várias refeições saborosas de inspiração mediterrânea em seu moderno café-bar vizinho.

Madigans

4 Abbey St Lower. Bar agradável, sem mistérios, com painéis de madeira, que serve boa *stout*, e nunca parece estar lotado, apesar da proximidade da O'Connell Street.

The Morrison

Morrison Hotel, Ormond Quay Lower. Chique e com estilo, com vistas do rio, este bar de hotel é um dos locais mais serenos

▲ THE MORRISON

da cidade para passar o tempo. Não se assuste com o exterior ultramoderno –dentro há uma mistura de locais e hóspedes do hotel tomando cerveja ou provando os tentadores coquetéis.

O'Shea's

19 Talbot St ☎01/836 5670. Muito popular graças ao serviço de primeira e aos preços razoáveis das refeições, incluindo talvez o mais atual café irlandês (servido o dia todo). Também tem às vezes shows de música tradicional e outros gêneros.

The Oval

78 Abbey St Middle. Já houve tempo em que este bar calmo e amistoso costumava lotar de jornalistas do *Irish Independent*, vizinho a ele. O jornal já mudou sua sede, mas os relógios internacionais ainda continuam na parede do bar.

Pravda

Liffey Street Lower. Abre mais tarde: qui até 1h30, sex e sáb até 2h30. Bem extravagante, este bar com temática soviética tem murais revolucionários no estilo "operário heróico" e, apropriadamente, serve cervejas russas e polonesas além da *pint* padrão. De dia tem comida convencional, como hambúrgueres e asas de frango temperadas.

Casas noturnas e de espetáculo

The Ambassador Theatre

O'Connell Street Upper ⓣ0818/719 300, ⓦwww.mcd.ie. Local antigo mas de prestígio bem na ponta norte da O'Connell Street, o Ambassador tem programação eclética, bastante focada em bandas alternativas e independentes.

Laughter Lounge

4–8 Eden Quay ⓣ1800/266339, ⓦwww.laughterlounge.com. Qui-sáb a partir de 20h30. Único local de Dublin inteiramente dedicado a shows de humor, com uma programação sempre variada de artistas irlandeses do primeiro time e convidados internacionais.

The Point Theatre

East Link Bridge Rd, North Wall Quay ⓣ0818/719 391, ⓦwww.thepoint.ie. Antigo armazém ferroviário, o cavernoso *Point*, 1,5 km a leste da O'Connell Bridge, é o maior local da Irlanda para shows musicais, com capacidade para 7.500 pessoas (metade disso em shows para assistir sentado). Recebe grandes nomes internacionais. Ingresso caro.

Spirit

57 Abbey St Middle ⓣ01/877 9999, ⓦwww.spiritdublin.com. Qua-dom 22h30–5h. Uma das maiores casas noturnas da cidade, tem três andares dedicados a diversas noites, incluindo a popular Revelation (sex) e a Carnavale (sáb). O preço do ingresso pode subir nos fins de semana (cerca de € 20 quando há DJs internacionais convidados operando o som).

The Vaults

Harbourmaster Place ⓣ01/605 4700, ⓦwww.thevaults.ie. Sex e sáb 23h–3h. Escondido embaixo da Connolly Station, este espaçoso bar-adega promove noitadas nos fins de semana, com foco em house e funk.

Ao norte da Parnell Square

Situada no extremo norte da O'Connell Street, a Parnell Square pode não ter a sutil fascinação de suas equivalentes georgianas do Southside, mas ainda preserva um certo charme. Três dos lados da praça são vias de tráfego intenso; a parte sul é dominada pela proeminente cúpula do Rotunda Maternity Hospital, do século 18, e logo virando a esquina leste fica o prestigiado Gate Theatre. O tranquilo lado norte da praça vale uma visita por si só; aqui você encontra o Garden of Remembrance (Jardim das Recordações), dedicado à memória daqueles que morreram lutando pela independência da Irlanda, e entre os outros destaques estão uma das principais galerias de arte de Dublin, a Hugh Lane, e o Dublin Writers Museum (Museu dos Escritores de Dublin), um excelente local para aprender mais sobre a história literária da cidade. Saindo da Parnell Square, as atrações mais próximas são o centro de informações dedicado às obras de James Joyce e à nordeste, atravessando o Royal Canal, fica o Croke Park, um importante centro esportivo e sede do inovador museu GAA.

Gate Theatre

1 Cavendish Row, Parnell Square East ⓣ01/874 4045 ou 01/874 6042, ⓦwww.gate-theatre.ie.

O Gate Theatre é um centro de produções teatrais de qualidade desde sua fundação em 1928 por dois ingleses, que foram amantes a vida inteira, Hilton Edwards e Micheál Mac Liammoir. Mantendo sua forte tradição, exibe teatro europeu e americano moderno, além de peças clássicas e obras irlandesas novas, e sua programação de alto nível fez com que logo se tornasse um concorrente do Abbey's crown (pág. 132). Tanto Orson Welles como James Mason começaram a carreira neste teatro.

Garden of Remembrance

Parnell Square East. Abr-set 8h30–18h, out-mar 9h30–16h; gratuito. Local tranquilo, o Garden of Remem-

▼ ROTUNDA MATERNITY HOSPITAL, PARNELL SQUARE

brance foi criado em 1966 no quinquagésimo aniversário do Levante da Páscoa, e homenageia os que tombaram pela causa da independência irlandesa. As **grades** do jardim são cheias de símbolos celtas e cristãos, incluindo um lago em forma de cruz. No lado oeste fica a comovedora estátua de Oisín Kelly, **Children of Lir (Os filhos de Lir)**, baseada na complexa lenda do senhor dos mares cujos filhos de sua primeira esposa foram transformados em cisnes por sua ressentida irmã, que Lir havia desposado depois dela. A estátua retrata a angústia de Lir no momento da metamorfose.

▼ *CHILDREN OF LIR*, GARDEN OF REMEMBRANCE

Dublin City Gallery –The Hugh Lane

Parnell Square North ☎01/222 5550, ⓦwww.hughlane.ie. Ter-qui 10h–18h, sex e sáb 10h–17h, dom 11h–17h; gratuito, mas sugere-se doar € 2.

A elegante, georgiana Charlemont House, revestida de pedra, com suas paredes curvas e interior neoclássico vem sendo a sede permanente da Hugh Lane Gallery desde 1933. Sir Hugh,

▲ A HUGH LANE GALLERY

sobrinho de Lady Gregory (pág. 132), queria que Dublin tivesse uma grande galeria de arte irlandesa e internacional. Ele reuniu uma considerável coleção convencendo artistas nativos a contribuírem com suas obras e adquirindo muitas outras, particularmente dos impressionistas franceses.

A galeria detém cerca da metade da coleção Lane (o restante está na National Gallery de Londres) e apenas uma parte fica exposta, seja qual for a época. É provável que você veja obras da **escola impressionista francesa,** como Renoir, Monet e Degas, assim como de Pissarro e dos irlandeses Jack B. Yeats, Roderic O'Connor e Louis de Brocquy, além de peças de vitral de Evie Hone e Harry Clarke. Também costuma promover exposições temporárias de obras de arte mais modernas.

Parte da galeria é dedicada a uma recriação do **estúdio do pintor dublinense, Francis Bacon**, transportado de seu local original em Reece Mews, South Kensington, Londres, onde o artista viveu e trabalhou nos últimos 30 anos de sua vida. Após sua morte em 1992, seu estúdio foi doado à galeria por seu herdeiro, John Edwards, e reconstruído aqui com incrível precisão –mais de 7.000 itens foram catalogados meticulosamente e colocados aqui. O estúdio só pode ser apreciado por uma janela de vidro, mas podemos ver entre os aparentes escombros um velho toca-discos Bush, caixas vazias de champanhe e imensas latas do tipo de tinta vinil opaca preferida por Bacon, cujas exalações agravaram sua asma. As salas em volta expõem muito material biográfico do pintor, como fotos e correspondência, além de oferecer uma detalhada base de dados de cada item do estúdio (acessível por consoles com telas sensíveis ao toque) e uma exposição das grandes telas dos últimos anos do artista.

A galeria oferece **visitas guiadas** de suas exposições (ter 11h e dom 13h30), um programa de palestras e filmes relacionados com as mostras em cartaz (dom 15h) e concertos de música erudita muito concorridos (dom 12h). Com uma vantagem extra: todos esses eventos são gratuitos.

▲ DUBLIN WRITERS MUSEUM

Dublin Writers Museum

18 Parnell Square North ☎01/872 2077, ⓦwww.writersmuseum.com. Seg-sáb 10h–17h (jul e ago seg-sex até 18h), dom e feriados 11h–17h; € 7; € 12 com o Dublin Tourism Combined Ticket (pág.203).

Para aprender mais sobre a rica história literária de Dublin, este museu é o ponto de partida ideal. Com muitos fatos curiosos e informações, o audioguia (disponível na recepção e incluído no preço

Bloomsday

Nenhum escritor sintetizou tão bem a vida, as curiosidades e os costumes de sua cidade natal como **James Joyce** em seus romances, especialmente o **Ulisses** (1922). São tão precisas as descrições que fez dos locais visitados pelos personagens do livro na data em que se dão os fatos narrados, 16 de junho, que podemos literalmente seguir seus passos. Essa peregrinação anual feita pelos admiradores de Joyce pela cidade nesse dia, chamado **Bloomsday**, pode ser feita por conta própria (pegue o mapa do *Ulisses* no Dublin Tourism Centre), mas há passeios guiados e eventos associados organizados pelo James Joyce Centre (página ao lado).

Estranhamente, após documentar a vida de Dublin com tanto orgulho, Joyce veio a detestá-la, e numa carta a descreve como "cidade de fracasso, rancor e infelicidade", concluindo: "Desejo viver fora dela".

As primeiras obras de Joyce, os contos **Os dublinenses** e a novela semi-autobiográfica **Retrato do artista quando jovem**, falam muito de sua educação católica e de suas experiências em Dublin. Mas quando este último livro saiu em 1916 Joyce já vivia fora da Irlanda há tempos. Pouco depois conheceu uma criada de Connemara, **Nora Barnacle**; saíram pela primeira vez em 16 de junho de 1904, e depois fugiram para a Europa. Exceto por duas breves visitas à Irlanda, Joyce passou o resto da vida em cidades européias, em especial Paris, onde publicou o *Ulisses* em 1922 e se casou com Nora em 1931. A única obra que Joyce publicou depois foi o *Finnegans Wake* (1939). Quando morreu em 1941, *o Ulisses* ainda não estava disponível na Irlanda, onde só foi publicado na década de 1960.

do ingresso) ajuda a entender o papel crucial da literatura na sociedade irlandesa, em termos principalmente de política e identidade nacional. As mostras abordam não só gigantes como Wilde, Shaw, Joyce e Beckett, mas figuras menos conhecidas como Sheridan Le Fanu e Oliver St John Gogarty (págs. 91 e 162).

O **térreo** do museu abriga várias mostras sobre escritores e escolas literárias específicas, com primeiras edições ou edições antigas, programas de teatro e lembranças. Nas paredes há uma seleção variada e sempre renovada de pinturas modernas de escritores, e pode-se ir até um agradável jardim zen ao ar livre para curtir as obras compradas na bem abastecida livraria do museu do andar térreo, ou ir até o **café** na parte de trás.

No primeiro andar fica a **Gallery of Writers**, elegante salão decorado em gesso por Michael Stapleton –melhor artesão de estuque da era georgiana–, além do piano de Joyce e outros quadros, o mais impressionante deles um retrato do escritor George Moore feito por John B. Yeats, pai do poeta e dramaturgo William B. e do pintor Jack B. Yeats. A **Gorham Library**, vizinha, tem muitas edições raras.

James Joyce Centre

35 North Great George's St ☎01/878 8547, ⓦwww.jamesjoyce.ie. Ter-sáb10h–17h; € 5. Visitas a pé: sáb 11h e 14h; 1h; € 10. O James Joyce Centre lança luz sobre a obra daquele que é talvez o mais imaginativo e também o mais complexo escritor irlandês, e que passou parte da vida no Northside, apoiando-se em sua vivência para criar os personagens e a ambientação de suas obras. O centro ocupa uma majestosa mansão do século 18, restaurada na década de 1980, que ostenta trabalho em estuque de Michael Stapleton. O térreo tem uma pequena loja com itens joycianos, como livros e impressos, e um arejado **pátio** onde se pode ver a porta da Eccles Street, 7, lar ficcional de Leopold e Molly Bloom, dois dos personagens principais do *Ulisses*, além de uma enigmática escultura de uma vaca, inspirada em Joyce.

Os **andares superiores** do edifício têm uma recriação da pequena sala de Joyce em Trieste, com livros, rolos musicais para pianola e uma esplêndida coleção de chapéus, além de fotos de pessoas e lugares associados ao *Ulisses* e consoles com telas sensíveis ao toque que mostram o desenvolvimento do enredo do romance e seus diversos personagens. Três curtos documentários sobre a vida

▼ PORTA DA ECCLES STREET, 7, JAMES JOYCE CENTRE

▲ O GAA MUSEUM

do escritor também podem ser vistos. A **visita guiada** ao centro, que começa aqui, é útil para saber mais sobre as ligações de Joyce com a área em torno do museu.

GAA Museum

Croke Park, St Joseph's Ave ⓣ01/819 2323, ⓦwww.museum.gaa.ie. Seg-sáb 9h30–17h (jul e ago até 18h), dom e feriados 12h–17h (abre apenas para quem tem o ingresso Cusack Stand nos dias de jogos). Visitas ao estádio de hora em hora: seg-sáb 10h–16h, dom 13h–16h; set-jun última visita 15h; não há visitas nos dias de jogos; ligue para checar disponibilidade. Só o museu € 5,50; visita ao museu e ao estádio € 9,50. Ônibus 123 da O'Connell St. O Croke Park é a sede da **Gaelic Athletic Association** (GAA). É um estádio magnífico e –depois de muitas reformas– bem moderno, com capacidade para mais de 82 mil pessoas, e está entre os maiores da Europa.

Dentro do estádio, sob a Cusack Stand, fica o GAA Museum, um dos melhores de Dublin. As **criativas exposições** e os recursos multimída criam uma fascinante apresentação do *hurling* e do futebol gaélico, e de esportes menos conhecidos como handebol e *camogie* (variante do *hurling* para mulheres). No andar superior, você pode golpear uma bola de *hurling* ou testar seu equilíbrio e reações em várias simulações.

Também são explorados os contextos histórico e político, de modo emocionante –desde sua fundação em 1884, a GAA sempre esteve associada ao nacionalismo irlandês. O museu não evita tratar de eventos políticos cruciais, como o **Domingo Sangrento** de 1920, quando tropas britânicas atiraram contra a multidão que assistia a uma partida e mataram doze pessoas.

É muito interessante a **visita guiada** ao estádio, não só para ver o impressionante campo, mas para conhecer eventos-chave da sua história –como a decisão de abril de 2005 de suspender a constituição da GAA para permitir que jogos internacionais da liga profissional da Rugby Union and Association Football pudessem ser realizados aqui enquanto o estádio da Lansdowne Road passava por reformas –antes disso, apenas jogos de origem irlandesa, jogados por amadores, podiam ser disputados no estádio.

Lojas

Chapters Bookstore

Parnell St. Fecha dom. Talvez a maior livraria de Dublin, a Chapters tem no andar térreo um grande acervo de livros de ficção e não-ficção, incluindo vastas seções sobre literatura e história irlandesa. O andar de cima é dedicado a usados, com promoções de CDs e DVDs.

Sinn Féin Bookshop

58 Parnell Square West. Fecha dom. Reduto de literatura do partido Republicano com muitos volumes sobre história e política, incluindo alguns que você provavelmente não encontra em nenhum outro lugar de Dublin, além de CDs (tem alguns lançamentos de Christy Moore difíceis de encontrar), vídeos e DVDs.

Café

Cobalt Café

16 North Great George's St. Fecha dom. Um paraíso tranquilo numa área onde faltam cafés, o Cobalt oferece não só cafés como lanches leves e sopas, que você saboreia enquanto admira as obras de arte originais exibidas nas paredes.

Restaurantes

Chapter One

18–19 Parnell Square North ☎01/873 2266, ⓦwww.chapteronerestaurant.com. Fecha o dia todo dom e seg e sáb no almoço. No porão do Dublin Writers Museum, esta jóia culinária do Northside que acaba de ganhar estrelas Michelin especializou-se em comida irlandesa moderna de inspiração francesa, usando uma criativa mistura de ervas, temperos e frutas para realçar pratos de peixe e carne. Carnívoros têm também as opções do carrinho de frios, e há ainda uma seleção fantástica de sobremesas deliciosas. O restaurante oferece jantar especial pré-teatro (18h–19h, € 35 por três pratos); normalmente você irá pagar € 65 por pessoa, vinho à parte.

Transilvania

7A Henrietta Place ☎01/873 4375. Fecha o dia todo seg, e ter-sex no almoço. Provavelmente o único restaurante romeno da Irlanda, tem cardápio de preço razoável com uma intrigante seleção de sopas tradicionais, além de pratos principais como *tocitura* –várias carnes em molho de vinho tinto– e *sarmale* –carne de porco, bovina e arroz enrolados em folha de repolho– e deliciosos queijos rústicos. É um local acolhedor, às vezes animado por músicos romenos.

Pubs e bares

Hill 16

Gardiner St Middle. Com o nome da arquibancada mais popular do Croke Park, este bar atrai o pessoal do GAA, especialmente os torcedores do time de futebol gaélico de Dublin. Com certeza fica lotado nos dias de jogo (embora o serviço continue impecável), quando se tem a oportunidade de compartilhar a alegria com os torcedores. Durante a semana serve almoço por preço razoável.

Patrick Conway's

70 Parnell St. Funcionando desde 1745 (quando era conhecido como Doyle's), o Conway's é o *pub* mais antigo do Northside. Sua fama se deve também ao fato de Pádraig Pearse ter se rendido aos ingleses nesta esquina após o Levante da Páscoa. Além das associações históricas, o *pub* tem boa comida de bar (grandes baguetes acompanhadas de fritas e salada, sopas, assados e cozidos), e um

local de música ao vivo –The Boom Boom Room– no andar superior (ver abaixo).

Casas noturnas e de espetáculo

▲ PLACA DO LEVANTE DA PÁSCOA, PATRICK CONWAY'S PUB

An Góilín

Teacher's Club, 36 Parnell Square West ⓣ086/815 0946, ⓦwww.goilin.com. Casa noturna mais antiga da cidade com cantores tradicionais que abre suas portas todas as sextas a partir de 21h30 (fecha em julho e agosto). Pela irrisória contribuição mínima de € 2, você tem a oportunidade de ouvir alguns dos melhores cantores de Dublin, a capela, nas noites normais, ou convidados de algum ponto da Irlanda, e às vezes algum cantor *sean-nós* ("de estilo antigo") de lugares como Connemara.

The Boom Boom Room

Patrick Conway's, 70 Parnell St ⓣ01/873 2687, ⓦwww.theboomboomroom.tv. O Boom Boom apresenta shows ao vivo, em várias noites da semana (em geral qua-dom), com todo tipo de bandas e cantores alternativos e experimentais da cidade, e às vezes traz também atrações internacionais.

Da Capel Street a Collins Barracks

Muito remodelada nos últimos anos, a tradicional zona operária a oeste do cais, a partir da Capel Street, é um dos redutos da vida noturna de Dublin, com dois dos melhores estabelecimentos de música tradicional e vários outros bares mais modernos. Da Grattan Bridge, no extremo sul da Capel Street, as vistas a oeste ao longo do rio são dominadas pelo fascinante edifício das Four Courts. A noroeste daqui, a renovada área de Smithfield, onde fica a Old Jameson Distillery, é famosa por sua feira mensal de cavalos, que já existe há 300 anos, enquanto a cripta da igreja mais antiga do Northside, St Michan's, oferece a mórbida atração de vários corpos mumificados, que datam da época das Cruzadas. A oeste, o impressionante Collins Barracks abriga as deliciosas atrações da National Museum Decorative Arts Collection.

Four Courts Inns Quay. Galerias públicas seg-sex 11h–13h e 14h–16h (fechado ago e set); gratuito. Com fachada de colunas coríntias e um impressionante **domo**, esta imponente estrutura junto ao rio já abrigou muitas audiências judiciais desde que abriu suas portas em 1802. O projeto, como o da Custom House (pág.133), é de **James Gandon**, e levou 16 anos para ser construído, custando 200 mil libras esterlinas. As

▼ PONTE JAMES JOYCE

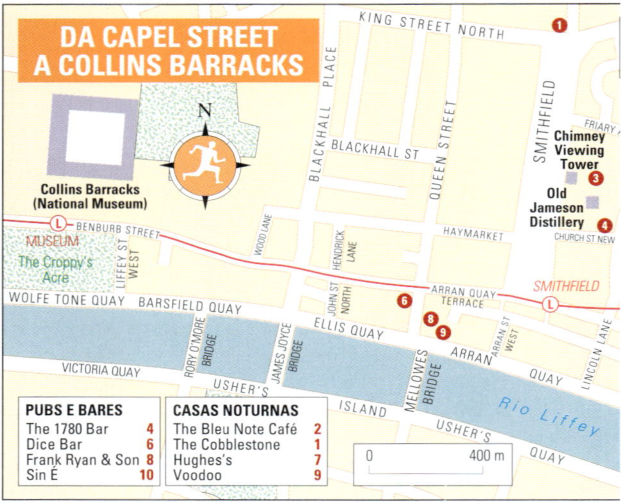

quatro cortes citadas no nome eram Chancery, Common Pleas, Exchequer e Kings Bench, mas havia uma quinta, a Judicature, esquecida na hora de escolher o nome do edifício. Ele foi tomado pelos republicanos que se opunham ao Tratado Anglo-Irlandês em 1921, e sofreu pesados bombardeios das forças do Free State na posterior Guerra Civil, por ironia com obuses emprestados dos britânicos. Mas antes que o sítio chegasse ao seu inevitável final, os rebeldes acionaram explosivos dentro do edifício, por acidente, destruindo o Escritório de Registros Públicos e inúmeros documentos históricos. O Four Courts, reconstruído, reabriu em 1931, abrigando hoje a **Alta Corte de Justiça**. Mas há uma opção melhor, e mais divertida: tomar assento na District Court, com entrada pelo Chancery Place, que lida com questões mais amenas.

▲ FOUR COURTS

St Michan's Church

Church St ☎01/872 4154. Visitas à cripta: mar-out seg-sex 10h–12h45 e 14h–16h45, sáb 10h–12h45; nov-fev seg-sex 12h30–15h30, sáb 10h–12h45; € 3,50. Datando de 1095, St Michan's foi construída pelos vikings em homenagem a um bispo dinamarquês. A igreja foi reconstruída 600 anos mais tarde e seu interior também sofreu muitas renovações. Perto do órgão da igreja, que dizem já ter sido tocado por Handel, fica o singular Banco dos Penitentes (**Penitents' Pew**), onde os paroquianos se ajoelhavam

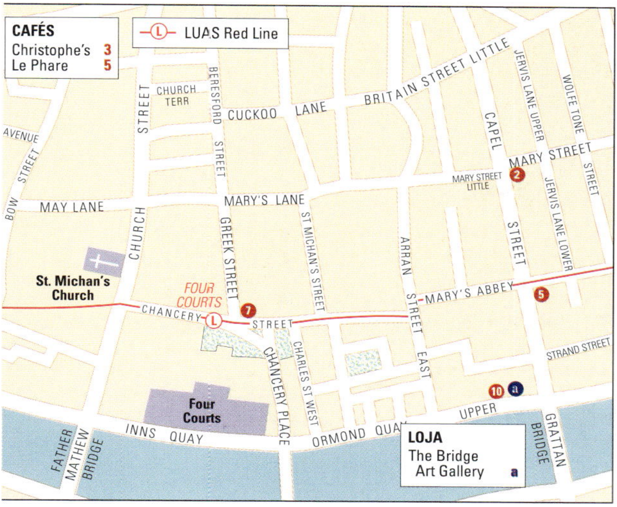

diante da congregação para confessar seus pecados.

Mas é nos **vãos** da igreja que está o seu maior fascínio. As visitas guiadas descem uma escada para acessar o conteúdo de pequenas criptas, incluindo doze corpos, alguns com 700 anos. Eles foram mumificados, num processo causado por dois fatores: as paredes de calcário, que absorvem a umidade natural do ar, e o metano produzido pela vegetação que apodrece sob o piso. Acredita-se que uma das **múmias** é de um cruzado, outra de uma freira e uma terceira, na qual falta uma mão, de um ladrão arrependido. Outra cripta guarda John e Henry Sheares, executados por sua atuação na Rebelião de 1798, além da **máscara mortuária** de um dos líderes da Rebelião, Wolfe Tone. Dois outros rebeldes, Oliver Bond e o reverendo William Jackson, estão enterrados no cemitério da igreja, e alguns acham que um túmulo não identificado tem os restos de **Robert Emmet**, líder do levante de 1803.

Smithfield e a Dublin Horse Fair

Feira de cavalos no primeiro dom de cada mês 9h–12h. Esta "vila" moderna é menos uma comunidade do que um processo de reconstrução em andamento, e seu foco é o próprio Smithfield, o maior espaço cívico aberto da cidade, antigo e com chão de pedra. Rodeado de flats, hotéis e

▼ MÚMIAS, CRIPTAS DE ST MICHAN'S

lojas, Smithfield tem uma das maiores atrações de Dublin: a **Dublin Horse Fair,** que atrai comerciantes, aficionados por cavalos atrás de um bom negócio e curiosos que vêm ver os adolescentes montando em pêlo. De novembro a meados de janeiro, Smithfield também vira um rinque de patinação no gelo a céu aberto (veja detalhes em ⓦwww.smithfieldonice.ie).

Old Jameson Distillery

Bow St, Smithfield ⓣ01/807 2355, ⓦwww.jamesonwhiskey.com. Diariam 9h30–18h; última visita 17h30; € 9,75. Os prédios onde John Jameson montou sua empresa de uísque viraram há tempos um santuário turístico do *hard stuff* –na verdade, o Jameson's é destilado em Midleton, Co. Cork há anos.

Depois de um vídeo curto sobre a história da produção de uísque na Irlanda, as **visitas guiadas** mostram o processo de produção, como o moer e amassar dos cereais –o barril "misturador" era antes limpo pelo perigoso recurso de baixar um trabalhador até as entranhas do recipiente, testando antes com uma vela para ver se não havia excesso de dióxido de carbono– até a parte essencial de destilação. A produção da *uisce beatha* (em irlandês, "água da vida", em inglês "whiskey") envolve três estágios. O líquido resultante, conhecido como "uísque novo", é diluído até 62% de álcool pela adição de água, e depois mantido em barris de carvalho importados, já utilizados para sherry, Porto ou brandy.

Em geral a maturação dura de cinco a sete anos, mas há uísques raros que descansam 25 anos antes do engarrafamento –os 2% de álcool que desaparecem nesse ínterim são chamados de "angel's share" ("parte do anjo"). A visita termina com um exercício de **degustação** no qual se pede a três pessoas que provem quatro marcas de uísque, mais uma de bourbon e de scotch cada, antes de apontarem sua favorita –se quiser participar, manifeste-se no início da visita, se não irá receber apenas uma dose de Jameson's de cortesia do bar.

▼ A OLD JAMESON DISTILLERY

Chimney Viewing Tower

Smithfield Village ⓣ01/817 3838. Jun-ago seg-sáb 10h–17h30, dom 11h–17h30; no resto do ano ligue para saber horários; € 5; ingressos no vizinho Park Inn hotel. A antiga chaminé da Jameson Distillery fica um pouco distante das modernas instalações de Smithfield. Um elevador preso à lateral da chaminé leva os passageiros até a plataforma envidraçada do topo, a 60 metros do chão. As vistas são bem

▲ A CHIMNEY VIEWING TOWER, SMITHFIELD

diferentes das do Gravity Bar da Guinness Storehouse (pág. 125), e mostram uma Dublin agitada.

National Museum of Ireland: Decorative Arts and History

Collins Barracks, Benburb St ☎01/677 7444, ⓦwww.museum.ie. Ter-sáb 10h–17h, dom 14h–17h; gratuito. Visitas guiadas diariam 15h30; € 2. LUAS estação Museum. Este ótimo museu merecia receber mais visitantes, pelo alto nível de suas exposições. Na entrada principal, vemos o que já foi o maior pátio militar de manobras da Europa, com cem passos de largura e de comprimento. Os edifícios em volta dele têm uma maravilhosa série de galerias dedicadas às belas artes da Irlanda, além de seleções do exterior. Sem dúvida, a melhor é a "**Curator's Choice**" (Seleção do curador) no primeiro andar do bloco oeste, com peças de toda a Irlanda selecionadas pelos curadores do museu, como o entalhe medieval em carvalho de St Molaise; o bizarro armário que Oliver Cromwell deu à filha Bridget em 1652; e o vaso Fonthill de porcelana chinesa, do século 14.

A seção "**Out of Storage**" (Fora do estoque) é outro destaque, com uma eclética coleção que vai de objetos decorativos de vidro a uma armadura de samurai do século 17, e outras sobre arte céltica, cunhagem de moedas, prataria, mobiliário de época, trajes e instrumentos científicos; também são realizadas muitas exposições temporárias.

Uma novidade no térreo é a série de galerias temáticas interconectadas, "**Soldiers and Chiefs**"(Soldados e líderes) dedicada a quase 500 anos de história militar irlandesa. Além de uma coleção de capacetes e armas, pode-se ver a notável tapeçaria Stokes, criada por um soldado britânico que dedicava seu tempo livre a retratar a vida militar da época.

Há ainda peças como o **Bantry Boat** (Barco de Bantry), de 200 anos, capturado pela fragata francesa *La Résolue* durante a invasão malsucedida de 1796, mostras sobre o envolvimento da Irlanda na Guerra Civil dos EUA, tanques da Primeira Guerra Mundial e um avião de combate

▼ LUMINÁRIA EGÍPCIA, NATIONAL MUSEUM OF IRELAND

Havilland Vampire de tempos mais recentes.

Croppy's Acre

Wolfe Tone Quay. Muitos dos combatentes executados por tomarem parte na **Rebelião de 1798** estão enterrados no The Croppy's Acre, uma área fechada ao sul de Collins Barracks. Um monumento em granito Wicklow marca o local preciso de suas tumbas. Debateu-se muito sobre as origens do termo "croppy" (de *crop*, que significa cortar curto por extensão do termo aplicado à colheita), mas acredita-se que foi um apelido dado aos republicanos que usavam o cabelo cortado rente atrás da cabeça, no estilo dos revolucionários franceses. Uma das canções mais famosas da Rebelião de 1798 era *The Croppy Boy*, que os legalistas retrucavam com a sua *Croppies Lie Down*.

Loja

The Bridge Art Gallery

6 Ormond Quay Upper ☎01/872 9702. Fecha dom. Tem arte e artesanato contemporâneos, como cerâmica, escultura, pintura e gravura, quase sempre por preços relativamente baixos. A galeria nos fundos também costuma fazer exposições de trabalhos inovadores de novos artistas.

Cafés

Christophe's

Duck Lane. Fecha dom. Perto da Old Jameson Distillery, o grande e sofisticado Christophe's tem de tudo, de ótimo café e *bagels* a café-da-manhã completo, e ainda bons assados, saladas fartas e muitas outras opções vegetarianas.

Le Phare

20 Capel St. Fecha dom. Café excelente e de preço adequado numa área com carência de bons locais para comer. Oferece café-da-manhã, sopas, *wraps* e almoços especiais, incluindo um maravilhoso cozido irlandês rico em ervas.

Pubs e bares

The 1780 Bar

Esquina de Bow St/Church St New. Bar alegre e arejado, o 1780 serve uma cerveja confiável e tem um concorrido cardápio de almoço com deliciosas sopas (a de cenoura e gengibre é uma das preferidas), além de uma boa variedade de *panini* e outros tipos de sanduíches. Tem sempre um jornal à mão para ler.

Dice Bar

78 Queen St. Abre mais tarde sex e sáb (até 2h30). Compacto, com iluminação suave, o Dice Bar é um local ultramoderno de estilo novaiorquino, que mantém a atmosfera animada e nunca fica lotado demais. A cerveja em geral é da Dublin Brewing Company, e tem DJs toda noite, tocando de Johnny Cash a hip-hop francês, além das mais recentes bandas independentes, blues e ska.

Frank Ryan & Son

5 Queen St. Definitivamente um lugar para descansar do agito da cidade, este bar em estilo antigo é o próprio aconchego. O atendimento é bom e simpático, e a ótima cerveja sai bem mais em conta do que em muitos outros lugares do centro.

▲ HUGHES'S

Sin É

14–15 Ormond Quay Upper.
Dos mesmos donos do The Cobblestone, este bar à luz de velas atrai um pessoal animado, cosmopolita que vem atrás de sua ampla seleção de cervejas –entre elas as *draught wheat* e as Leffe e Chimay engarrafadas– e de uma eclética e divertida programação musical (às vezes há bandas tocando ao vivo, mas quase sempre são DJs).

Casas noturnas e de espetáculo

The Bleu Note Café

61–63 Capel Street. O melhor lugar do Northside para ouvir um bom jazz ou blues ao vivo, com um atraente bar ao nível da rua e duas salas de espetáculos musicais –a do andar de cima costuma ser grátis e funciona de quinta a domingo, e a do subsolo cobra ingresso para as apresentações musicais de sexta e sábado à noite.

The Cobblestone

77 King St North ☎01/821 1799.
Talvez o melhor local de Dublin para música tradicional, este bar escuro e acolhedor também é um ótimo lugar para provar a variedade de cervejas da Dublin Brewery Company, perto daqui. Apresenta música de alto nível toda noite a partir de 21h (a partir das 19h nas quintas) e também nas tardes de domingo, enquanto o Back Room abriga shows variados.

Hughes's

19 Chancery St ☎01/872 6540.
Escondido atrás do Four Courts, o Hughes's atrai a nata dos músicos tradicionais da cidade em suas sessões noturnas (a partir de 22h até fechar). Às sextas costuma lotar, por isso chegue cedo para garantir seu lugar.

Voodoo

39 Arran Quay ☎01/873 6013.
Muito maior do que sua fachada sugere, o Voodoo é o irmão maior do Dice Bar (página ao lado) e funciona no mesmo estilo, com apresentações musicais todas as noites das melhores bandas independentes da cidade.

Phoenix Park

Maior parque urbano murado da Europa, o Phoenix Park estende-se por 708 hectares. A maior parte dele são espaços abertos, com árvores esparsas, arbustos e flores silvestres, mas tem também áreas de bosques, tanques de água e lagos. No conjunto, é um local ideal para fugir da agitação da cidade, oferecendo muitos pontos agradáveis para um piquenique, além de ser um local popular para esportes –joga-se críquete, futebol, *hurling* e até pólo em suas quadras. Construído como parque de caça para Carlos II (um pequeno rebanho ainda pasta em seus campos), seu nome refere-se à Phoenix House, residência original dos vice-reis britânicos cujo espaço é hoje ocupado pelo sombrio Magazine Fort, embora o nome da área tenha raízes na expressão irlandesa *fionn uisce* ("água clara"). Além de todo o verde, há alguns monumentos notáveis, entre eles o Phoenix Monument, de 1747, a Cruz Papal de 30 metros de altura em aço inoxidável, que marca o local em que o papa João Paulo II celebrou missa em 1979, e o impressionante Wellington Monument.

Logo depois dos limites do parque, a noroeste fica a propriedade Farmleigh, um local concorrido para passeios no bosque e à beira do lago e onde se localiza a esplêndida mansão Farmleigh.

Com exceção dos ônibus de turismo, não há transporte público no parque, por isso prepare-se para andar bastante, e traga lanche e água, pois há poucos lugares que vendem comida e bebida, distantes um do outro.

▼ CRUZ PAPAL

Dublin Zoo

Ⓣ01/474 8900, Ⓦwww.dublinzoo.ie. Seg-sáb 9h30–18h30, dom 10h30–18h30 (out-fev fecha ao anoitecer); € 14 adultos, € 9,50 crianças menores de 16, crianças menores de 3, gratuito.

É o segundo zoológico mais antigo da Europa e já abrigou o leão que rugia na abertura dos filmes dos estúdios da MGM em Hollywood. Hoje em dia o foco do zôo é a criação de espécies ameaçadas de extinção, como os tigres Amur e a íbis Waldrapp, para depois reintroduzir os animais na natureza.

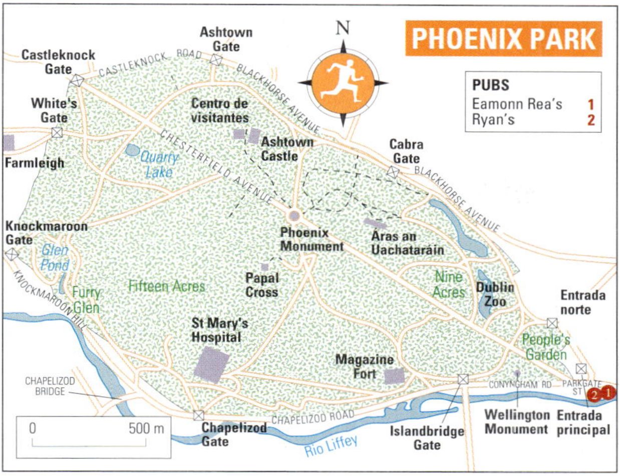

Espalhado por 2,5 hectares, suas atrações são as **planíces africanas**, com girafas, rinocerontes e hipopótamos, e uma outra área dedicada a bichos da América do Sul, como saguís e tucanos. Além de aviários e casas de répteis, tem áreas para ursos polares e gorilas, e os sociáveis suricatos. A chegada de filhotes recém-nascidos atrai muita gente e oferece boas oportunidades para fotos. O zôo também tem **fazendinha** para as crianças.

Áras an Uachtaráin

01/677 7129, www.president.ie. Sáb 10h30–16h30 (set-abr até 15h30). Só com visita guiada; os horários dependem da demanda; ingressos no Phoenix Park Visitor Centre (pág. 156) no dia; gratuito. Lar dos vice-reis britânicos desde a década de 1780 até a independência da Irlanda, esta impressionante mansão paladiana, com uma graciosa e ampla fachada e uma entrada com quatro pilastras, tem sido a residência oficial do **presidente da Irlanda** desde que Douglas Hyde, o primeiro ocupante, assumiu o cargo em 1938.

▼ ZOOLÓGICO DE DUBLIN

▲ ÁRAS AN UACHTARÁIN

As **visitas** –realizadas quando o presidente não está– começam no Phoenix Park Visitor Centre (oferece-se transporte com microônibus). Um pequeno centro de exposições junto à entrada da residência é dedicado à história do edifício e os visitantes são levados a conhecer apenas parte da casa ricamente decorada, incluindo as salas de recepção do Estado e o escritório presidencial. Procure localizar algum dos lindos trabalhos em estuque dos renomados irmãos Lafranchini.

Phoenix Park Visitor Centre e Ashtown Castle

Ⓣ01/677 0095, Ⓦwww.heritageireland.ie. Meados a fim de mar e out: diariam 10h–17h30, abr-set: diariam 10h–18h, nov a meados-mar: sáb-qua 10h–17h; € 2,90 (inclui visita ao Ashtown Castle); Heritage Card. Acessado por uma alameda ao norte do Phoenix Monument, o centro de visitantes conta a história do parque através dos séculos, com foco principalmente na **vida silvestre e na flora**. Além da cadeira usada pelo falecido papa João Paulo II para rezar uma missa no parque em 1979, você pode ver os projetos recusados para o Wellington Monument, alguns bem bizarros, além de uma reconstrução de um túmulo pré-histórico rodeado de pedras megalíticas, possivelmente do século 4º a.C., cujo original foi descoberto no parque em 1838. Uma divertida seção interativa para crianças explica a vida da floresta, e há também com frequência exposições temporárias.

Vizinho ao centro fica o **Ashtown Castle**, um torreão do início do século 17 cuja existência só foi descoberta quando a antiga residência do núncio papal, que havia sido construída em volta dele, foi demolida em 1978. As **visitas guiadas** revelam alguns dos aspectos defensivos da torre. O centro de visitantes também tem um pequeno café, muito popular.

▼ ASHTOWN CASTLE

▲ FARMLEIGH

Farmleigh

①01/815 5981, ⓦwwws.farmleigh.ie. Casa: mar-dez qui-dom e feriados bancários 10h30–17h. A entrada – só com visita guiada – não é possível quando há alguma delegação em visita à residência; ligue antes para checar. Área externa: diariam 10h–18h (portões fecham 16h45); gratuito. Bus #37 da Hawkins St até o Castleknock Gate. O White's Gate no extremo noroeste do parque dá acesso ao esplêndido edifício georgiano-vitoriano Farmleigh, um dos mais belos da cidade, famoso por seus interiores. A casa fica numa área belíssima de 32 hectares de **bosques**, com um lago ornamental, um jardim abaixo da superfície e uma torre de relógio de 35 metros que aloja a caixa-d'água da propriedade.

Farmleigh foi construída em 1752 para a família Trench e mais tarde foi comprada por Edward Cecil Guinness, primeiro conde de Iveagh, como uma residência rústica que oferecia fácil acesso à sua cervejaria. Houve ampliações na década de 1880, e a família Guinness ficou na residência até a morte do terceiro conde em 1992. Foi então comprada pelo governo para uso como casa de hóspedes do Estado.

As **visitas** começam pela **sala de jantar**, cuja decoração inusual inclui estátuas de Baco de ambos os lados da lareira e um relógio embutido no seu centro, tudo enfeitado por tapeçarias italianas de seda do século 17. A **sala de estar** tem lustres da Boêmia feitos de cristal Waterford e um par de cadeiras de devedor, nas quais as pernas deste ficavam presas até que ele concordasse em pagar a dívida. A **biblioteca** tem quatro mil obras emprestadas da Iveagh Collection, incluindo uma primeira edição do *Ulisses* e livros que remontam do século 12. A Blue Room, dedicada a irlandeses ganhadores do Prêmio Nobel, tem outra estranha lareira, situada embaixo de uma janela e voltada para uma fonte, numa composição que faz lembrar o pintor Magritte.

Mas o melhor é a **sala de baile**, decorada com gesso ornamentado em estilo Luís XVI, e com piso de carvalho irlandês originalmente destinado a barris de Guinness. Daqui, delicadas *portières* de linho revestem as portas que conduzem o visitante para a grande estufa, cheia de plantas. Há uma **sala de chá** no estábulo, atrás da casa.

People's Garden

O People's Garden, junto à entrada principal do parque na Parkgate Street, é de 1864 e seu design despojado e sistemático, preserva muito do estilo de horticultura original da era vitoriana. Limitado por cercas, embora esteja localizado bem perto de uma rua movimentada, é um local tranquilo onde se pode apreciar a variedade de aromas dos canteiros. Há também uma estátua de Seán Heuston, executado por participar do Levante da Páscoa de 1916.

Wellington Monument

O Wellington Monument levou 44 anos para ser concluído e foi inaugurado em 1861. O obelisco –o maior da sua categoria nas ilhas Britânicas, com 60 metros– tem baixos-relevos feitos com bronze de canhões capturados em Waterloo, retratando algumas cenas das bem-sucedidas campanhas militares do "Iron Duke" (Duque de Ferro).

Magazine Fort

Ao longo da Military Road fica o Magazine Fort, de 1734, construído no espaço da Phoenix House original. O forte antes abrigava as munições da guarnição britânica baseada em Dublin, mas hoje está abandonado. Suba o monte para dar um passeio em volta de seus muros e apreciar as vistas do parque e dos arredores.

Pubs

Eamonn Rea's

25 Parkgate St. Alternativa confortável e simples ao Ryan's, o Rea's é um típico *pub* local, serve boa cerveja (das mais baratas da cidade) e promove jogos de perguntas de improviso. As paredes têm objetos e fotos de *hurling*.

Ryan's

28 Parkgate St. O Ryan's vem há tempos desafiando a reputação do Mulligan's (pág. 76) de servir a melhor caneca de Guinness da cidade, dada a sua proximidade da cervejaria, que fica logo cruzando o rio. Já houve tempo em que foi um bar básico, só com as máquinas para *stout* e *lager* (a última para excêntricos e visitantes). Hoje é um lugar bem reformado –a sua Guinness ainda é ótima e as refeições do bar têm preços razoáveis. O restaurante do andar superior serve ótimos frutos-do-mar à noite.

Subúrbios do sul

Os vastos subúrbios do sul de Dublin, que se estendem até as Wicklow Mountains, oferecem duas atrações principais para o visitante. Na parte verde, no subúrbio-vilarejo de Rathfarnham, há um castelo do século 16 muitas vezes reformado e também a escola de língua irlandesa fundada pelo revolucionário Pádraig Pearse, hoje um museu. No litoral, a sudeste da cidade, fica o James Joyce Museum de Sandycove e o charmoso e histórico bairro de Dalkey. O trajeto do trem DART já vale o passeio, por oferecer ótimas vistas de grande parte da baía de Dublin antes de margear os montes Dalkey e Killiney em direção a Bray e Greystones (pág. 173).

Pearse Museum St Enda's Park, Grange Rd, Rathfarnham ⓣ01/493 4208, ⓦwww.heritageireland.ie. Quando escrevíamos este guia, o museu estava fechado para reforma até meados de 2008. Museu: fev-abr, set e out 10h–17h; mai-ago 10h–17h30; nov-jan 10h–16h; fecha 13h–14h; gratuito. St Enda's Park: diariam: fev-mar 10h–17h30; abr, set e out 10h–19h; mai-ago 10h–20h; nov-jan 10h–16h30; gratuito. Ônibus 16 da D'Olier Street. O informativo Pearse Museum explora em detalhes a vida e os princípios de **Pádraig Pearse** e está abrigado na antiga **St Enda's School**, que ele fundou em 1910 com o objetivo de promover a cultura gaélica e os ideais nacionalistas. Todas as aulas eram em irlandês e os estudantes eram incentivados a participar de futebol gaélico e *hurling*. A fama de Pearse, no entanto, não vem do seu trabalho educacional –a escola atraiu um número menor de alunos do que o esperado e fechou em 1916–, mas de seu papel como um dos líderes do **Levante da Páscoa** (pág. 126). A melhor maneira de iniciar a visita é pelas **salas dos fundos**, onde a mostra focaliza os antecedentes de Pearse desde o seu nascimento em 1879 na Great Brunswick Street (hoje Pearse Street). Outras salas são dedicadas à história da escola e à filosofia educacional de Pearse, da qual uma parte-chave era dar "especial atenção à formação do caráter e ao desenvolvimento daqueles elementos que promovem a verdadeira hombridade, honra e cidadania". No andar de cima, os colchões originais de palha e as camas rústicas do **dormitório** sugerem que o conforto não era um atributo valorizado pelo educador. Pearse também foi um dramaturgo de relativo sucesso, mas sua competência como professor foi questionada por **James Joyce**, que teve aulas de irlandês com ele no University College, abandonadas depois de três meses –o futuro escritor se queixava de que seu tutor pretendia elevar a língua irlandesa em detrimento da inglesa, por ele criticada.

O museu tem **salões de chá** (entre maio e setembro só nos fins de semana) e um centro de estudos da natureza que dá detalhes sobre a trilha em volta do St Enda's Park. O parque

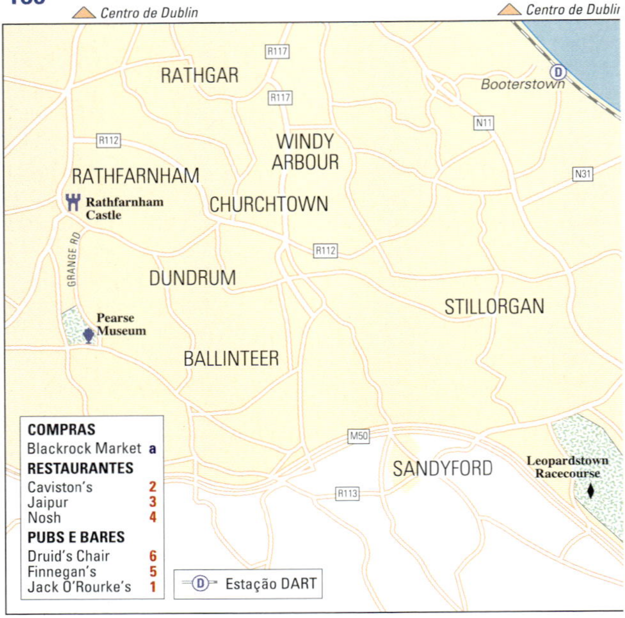

oferece ainda belos passeios junto ao rio e uma cachoeira, assim como um **jardim** murado onde são realizados concertos ao ar livre no verão (ligue ☎01/493 4208 para saber os detalhes).

Rathfarnham Castle

Rathfarnham Rd, Rathfarnham ☎01/493 9462, Ⓦwww.heritageireland.ie. Mai-out diariam 9h30–17h30, última admissão 16h30; passeios guiados gratuitos. Ônibus 16 ou 16A da D'Olier Street.

Um edifício de calcário e tijolo, pesado e deselegante, o Rathfarnham Castle data de 1580 e foi construído para **Adam Loftus**, clérigo de Yorkshire que galgou a hierarquia clerical até virar arcebispo de Dublin, e mais tarde lorde chanceler da Irlanda e primeiro preboste do Trinity College. O castelo foi sitiado na Rebelião de 1641 e os soldados de Cromwell se instalaram nele durante a Guerra Civil inglesa, que começou no ano seguinte. Depois passou por várias mãos, tendo como um de seus ocupantes mais conhecidos William Conolly de Castletown (pág. 180), até ser readquirido por descendentes de Loftus.

As ameias do castelo foram removidas em 1720, mas o edifício ainda preserva um aspecto característico do século 16. Seu interior, no entanto, foi muito modificado na década de 1770, sob a orientação de Henry Loftus, conde de Ely, que empregou notáveis arquitetos e pintores criando ambientes luxuosos e confortáveis para receber e entreter a fina flor da aristocracia.

Mais tarde o castelo sofreu grave declínio e, em 1912, foi comprado por incorporadores

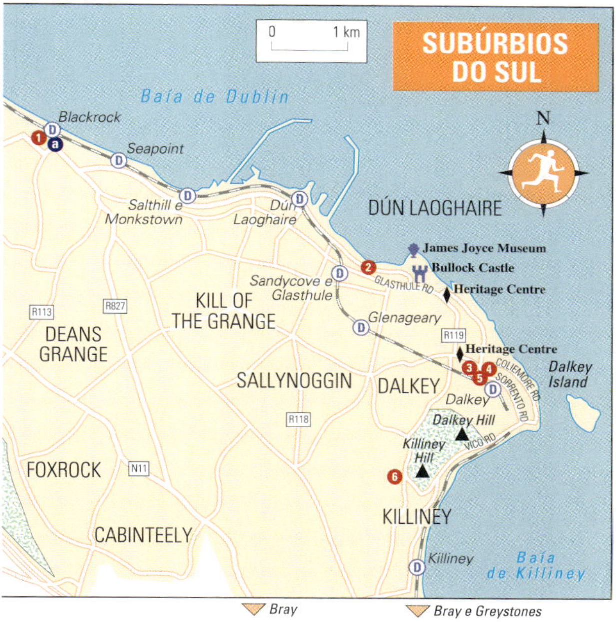

imobiliários, mas por volta da década de 1980 estava praticamente abandonado. **Visitas guiadas** de uma hora concentram-se principalmente nos trabalhos de reforma empreendidos a partir daí e chamam a atenção para as mudanças na estrutura do edifício, que apareceu como era originalmente durante o processo de restauração. A **ala da cozinha** foi totalmente refeita, mas o trabalho na seção principal está ainda em andamento e hoje inclui uma sala para exposições de arte temporárias.

James Joyce Museum

Sandycove Point, Sandycove ☎01/280 9265. Mar-out seg-sáb 10h–13h e 14h–17h, dom e feriados 14h–18h; € 7; € 12 com o ingresso combinado Dublin Tourism (pág. 203). Estação DART Sandycove & Glasthule, depois 10min a pé pela Islington Ave, e a leste

▼ JAMES JOYCE MUSEUM

ao longo da orla; ou ônibus 59 de Dún Laoghaire ou Dalkey até Sandycove Ave e uns três minutos a pé para o norte. Este divertido memorial a Joyce fica na impressionante **torre Martello,** de frente para o mar da Irlanda, uma das quinze torres erigidas entre Dublin e Bray entre 1804-06 contra a ameaça de invasão napoleônica. Construída com paredes circulares de granito de 2,5 m de espessura, e com porta blindada quatro metros acima do solo, como única entrada, as torres nunca dispararam um tiro em combate.

Joyce ficou aqui apenas uma semana, em setembro de 1904, um mês antes de partir para a Itália com Nora Barnacle. Na época, seu anfitrião, o escritor e humorista **Oliver St John Gogarty**, alugava a torre do War Office por £ 8 por ano durante seus estudos de medicina. Joyce imortalizou-a como cenário do capítulo inicial de seu *Ulisses* –e Gogarty como o "majestoso, gorducho Buck Mulligan"–, e hoje a torre sedia palestras e celebrações todo dia 16 de junho, o **Bloomsday** (pág. 142).

Inaugurado em 1962 por Sylvia Beach, a primeira a publicar *Ulisses* em Paris em 1922, o museu mostra o violão de Joyce, seu colete e bengala, além de uma das **máscaras mortuárias** oficiais (a outra está em Zurique, onde ele morreu em 1941). Há também inúmeras cartas e fotos, além de primeiras edições e edições raras, como um *Ulisses* com belas ilustrações de Matisse. No primeiro andar, o espartano **alojamento** de Gogarty foi recriado do jeito que Joyce o descreveu, e você pode subir até a plataforma de tiro no telhado para uma vista panorâmica da baía de Dublin.

Depois da torre, na ponta rochosa, fica o local de banho mais famoso de Dublin, a **Forty Foot Pool** (assim chamada por causa do local de pesca, a quarenta pés daqui, junto à costa). Era um lugar tradicional para os homens tomarem banho nus, mas hoje gente corajosa de ambos os sexos vem dar seu mergulho aqui o ano todo.

Dalkey

DART até Dalkey. A quinze minutos de Sandycove a pé pela orla, Dalkey é um belo subúrbio à beira-mar junto às encostas cobertas de árvores da Dalkey Hill. Na Idade Média, prosperou como fortificação e foi o principal porto de Dublin até que a dragagem do rio Liffey no século 16 tirou-lhe a primazia. Hoje, com a ferrovia, as velhas casas e mansões de Dalkey são muito procuradas pela classe média alta que trabalha na cidade, e por famosos atrás de um pouco de privacidade (como Bono do U2).

Descendo a Railway Road a partir da estação Dalkey do DART, a Castle Street ostenta dois **armazéns fortificados** do auge medieval de Dalkey (se você vier a pé de Sandycove a Dalkey, vai passar por uma terceira fortificação, o Bullock Castle, na Ulverton Road, construída pelos cistercienses no século 12 para proteger o porto pesqueiro de Bullock). Goat Castle, cruzando a rua a partir do Archibold's Castle, sedia um atraente e bem projetado **Heritage Centre** (Ⓣ01/285 8366, Ⓦwww.dalkeycastle.com; seg-sex 9h30–17h, sáb, dom e feriados 11h–17h; € 6). A detalhada

▲ DALKEY

exposição com painéis escritos pelo dramaturgo e residente local Hugh Leonard, conta a história da cidade, especialmente seus sistemas de transporte e associações literárias, as últimas com uma exposição sobre Joyce, que situou o segundo capítulo do *Ulisses* em Dalkey. O **interior** do castelo é impressionante, e das muralhas apreciam-se lindas vistas. De maio a outubro, o preço do ingresso inclui **visitas ao teatro** Living History (a cada 30min: seg-sex 10h–16h30; sáb, dom e feriados 11h30–16h30), onde atores a caráter contam a vida de vários residentes medievais de Dalkey.

O Heritage Centre organiza interessantes **passeios históricos** guiados pela cidade (mai-ago seg e sex 11h, qua 14h; € 4); para seis ou mais pessoas, podem ser arranjados passeios literários pela cidade no mesmo período e pelo mesmo preço (ligue para saber os detalhes). O centro também participa do Bloomsday (pág. 142), remontando a cena na sala de aula de Dalkey do *Ulisses*, e promovendo uma noite joyciana especial.

Se quiser fazer uma viagem até a pequena **Dalkey Island**, a 300 metros da costa, o melhor é ir até o Coliemore Harbour, descendo a Coliemore Road a partir do extremo sul da cidade, e combinar uma viagem com um dos pescadores locais (só na alta estação). Antiga base viking, a ilha abriga as ruínas de uma igreja do século 17, uma torre Martello da época napoleônica, um rebanho de cabras semi-selvagens e a chance de ver focas e várias espécies de aves marinhas.

Compras

Blackrock Market

19A Main St, Blackrock. Sáb 11h–17h30, dom 12h–17h30.

Variado e popular mercado de fim de semana, depois da rua principal deste subúrbio do sul, perto da estação DART. Vende antiguidades e bugigangas, livros e CDs, artesanato, jóias, calçados e roupas.

Dalkey e Killiney Hills

Um passeio pelas Dalkey e Killiney Hills, antes de descer na estação DART de Killiney, oferece vistas panorâmicas da cidade e arredores, e leva só uma hora e meia, andando da estação DART de **Dalkey** a passo moderado. De **Dalkey**, vá para sudeste pela Sorrento Road e então tome o caminho mais fácil à direita até a Knocknacree Road e a Torca Road, ou siga a encosta pela Vico Road (citada por Joyce no *Ulisses* e, de modo um tanto indireto, no *Finnegans Wake*), de onde partem degraus e um caminho íngreme. Na Torca Road, os fãs de Shaw podem ver o **Torca Cottage**, propriedade particular, onde ele morou quando menino e para onde voltou outras vezes para escrever. No caminho para o topo da Dalkey Hill, com a sua antiga estação de telégrafo com muralhas e belas vistas da baía, você verá a **pedreira Dalkey**, que forneceu os blocos de granito para os sólidos cais do porto de Dún Laoghaire abaixo.

Daqui, siga a encosta em parte arborizada até **Killiney Hill**, onde um obelisco de pedra, erigido em 1742 para dar trabalho aos moradores pobres, e usufrua **vistas** ainda mais lindas, de Howth ao norte e da Killiney Bay e das Wicklow Mountains ao sul. Do obelisco, você pode descer rapidamente até o portão do parque na Killiney Hill Road e tomar alguma coisa no acolhedor *pub* Druid's Chair bem em frente; dali, uma caminhada de quinze minutos pela Victoria Road e Vico Road o conduzirá pela sombreada e exclusiva vila de Killiney, até a estação DART junto à praia.

Restaurantes

Caviston's

59 Glasthule Rd, Sandycove ☎01/280 9245, www.cavistons.com. 3 horários de almoço: ter-sex 12h, 13h30 e 15h, sáb 12h, 13h45 e 15h15. Com localização prática entre Sandycove e a estação DART de Glasthule e o Joyce Museum, este local tem uma fórmula básica que faz muito sucesso –os peixes e frutos-do-mar mais frescos do dia, preparados com simplicidade. É essencial fazer reservas e no verão há mesas ao ar livre. O almoço sai por € 30–40 por pessoa. O mesmo dono tem a loja vizinha, o Food Emporium, com pães caseiros, delicatessen e muito peixe fresco, entre outras delícias.

▼ BLACKROCK MARKET

Jaipur

21 Castle St, Dalkey ☎01/285 0552, www.jaipur.ie. Fecha no almoço seg-qua. Filial do excelente restaurante indiano da South Great George's Street (pág. 118); vale a pena provar seu cardápio para primeiros clientes (17h30–19h30, € 21,75).

Nosh

111 Coliemore Rd, Dalkey ☎01/284 0666, www.nosh.ie. Fecha seg. Bistrô simples, em estilo atual, junto à Castle Street. Sua cozinha oferece de tudo, de

▲ FINNEGAN'S

linguini com frango defumado a curry tailandês de frutos-do-mar à noite, pratos básicos como torta de peixe e hambúrguer caseiro no almoço e *brunch* aos sábados e domingos.

Pubs e bares

Finnegan's

Railway Rd, Dalkey. Melhor bar de Dalkey, perto da estação DART, passou por melhorias para combinar com a modernização do bairro, mas mantém a velha hospitalidade e uma ótima Guinness.

Jack O'Rourke's

15 Main St, Blackrock.
Não é só um lugar confortável para admirar as compras que você fez no mercado vizinho, mas um belo fornecedor de Guinness e de refeições com preço adequado.

Subúrbios do norte

Os subúrbios do norte, de Glasnevin até Howth, apresentam uma espantosa diversidade de atrações, e várias delas podem ser combinadas facilmente numa mesma excursão. Você vai precisar de tempo bom para fazer um passeio até o belo Jardim Botânico e o vizinho Glasnevin Cemetery, lugar em que repousam grandes figuras da história irlandesa desde 1832, e que pode ser mais bem apreciado numa visita guiada. A sofisticada arquitetura do Casino de Marino e o horror calculado do Bram Stoker Dracula Experience têm apelos bem diferentes, enquanto a flora e a fauna da reserva natural de North Bull Island podem ser apreciadas por todos. A meia hora da estação central de Dublin e ponto final da linha DART, Howth é uma atraente vila à beira-mar, que reúne bons lugares para comer e beber, além de oferecer a oportunidade de um excelente passeio pelos rochedos.

National Botanic Gardens

Glasnevin Hill, junto à Botanic Rd, Glasnevin ⓣ01/837 7596, ⓦwww.heritageireland.ie. Jardins: verão seg-sáb 9h–18h, dom 10h–18h; inverno diariam 10h–16h30; estufas: verão seg-sex 9h–17h, sáb e dom 10h–17h45; inverno diariam 10h–16h30; gratuito. Visita guiada dom 14h30; gratuita. Ônibus 13 da Merrion Square ou O'Connell St, ou 19, 19A da South Great George's St ou O'Connell St.

▼ NATIONAL BOTANIC GARDENS

Os vinte hectares do Jardim Botânico na margem sul do rio Tolka são um belo lugar para passear num dia de sol, e suas magníficas **estufas** vitorianas de ferro trabalhado oferecem diversão e abrigo para qualquer tempo. Construídos de 1795 a 1825 com aval do Parlamento Irlandês, os jardins foram, em 1844, os primeiros do mundo a cultivar orquídeas a partir de sementes e, em agosto do ano seguinte, detectaram a praga da batata que trouxe como consequência o período conhecido como a Grande Fome.

Entre as 20 mil espécies e variedades cultivadas há uma coleção de **cicadáceas** de importância internacional. Os destaques ao ar livre são o roseiral, as coleções de urzes e rododendros, os arbustos chineses e o arboreto. Uma das estufas muito bem restauradas é a **Curvilinear Range,** construída por Richard Turner, fundidor de ferro de Dublin e autor também da Palm House nos Kew Gardens de Londres e das estufas de Exposições de Londres (1851) e Dublin (1853).

O centro de visitantes tem um bonito **café** self-service com janelas panorâmicas, que serve bolos, sanduíches, saladas e refeições quentes.

Glasnevin Cemetery

Finglas Rd ⓣ01/830 1133, ⓦwww.glasnevin-cemetery.ie. Seg-sáb 8h–16h30 ou mais tarde, dom 9h–16h30 ou mais tarde; gratuito. Visitas guiadas qua e sex 14h30; 90min; gratuito. Ônibus 40, 40A/B/C da Parnell St.

Quinze minutos a pé dos Jardins Botânicos (descendo a Botanic Road, depois à direita pela Prospect Way e Finglas Road) fica a entrada do Glasnevin Cemetery (ou Prospect Cemetery), fundado como cemitério de católicos pelo líder político nacionalista **Daniel O'Connell** em 1832. Agora é o cemitério nacional, aberto a todas as denominações e cheio de cruzes e harpas celtas e de outros emblemas patrióticos. O'Connell é celebrado junto à entrada por uma **torre** redonda de 50 metros de altura, que sobreviveu a um atentado a bomba dos legalistas na década de 1970. Seu corpo foi enterrado na cripta da torre em 1869, trazido de Gênova onde ele morreu (na verdade, não é todo o seu corpo que está aqui: seu coração foi enterrado em Roma).

À esquerda da torre, o herdeiro político de O'Connell, **Charles Stewart Parnell**, que pediu para ser enterrado em

▲ GLASNEVIN CEMETERY

vala comum com o povo da Irlanda, é homenageado com uma rocha de granito trazida de sua propriedade em Avondale, County Wicklow. Entre os 1,2 milhão de pessoas enterradas em Glasnevin há ainda outros notáveis –a maioria junto à torre de O'Connell–, como a condessa Markiewicz (pág. 87), Éamon de Valera, primeiro-ministro, presidente e arquiteto da moderna Irlanda, e seu velho rival Michael Collins, líder mais carismático da luta pela independência. Das artes, estão aqui o poeta Gerard Manley Hopkins (não identificado, no lote dos jesuítas), a musa de W. B. Yeats, Maud Gonne MacBride, o dramaturgo Brendan Behan e Alfred Chester Beatty (pág. 109).

À direita da torre fica o **lote republicano,** com um memorial dedicado aos que fizeram greve de fome, como Thomas Ashe, que morreu em 1917, e Bobby Sands, falecido

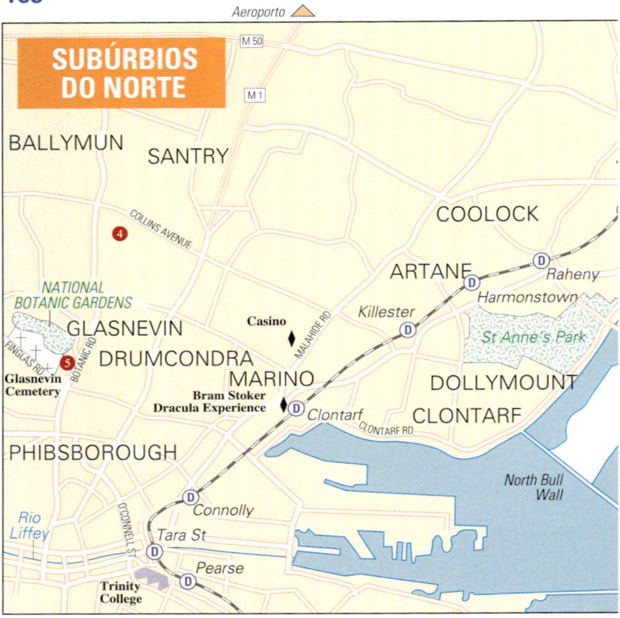

em 1981, e na frente da torre estão os túmulos recentes do garoto de 18 anos Kevin Barry e de oito outros voluntários enforcados pelos britânicos na Guerra da Independência; enterrados na prisão Mountjoy, seus corpos foram trazidos para cá em 2001, com honras de Estado.

Casino de Marino

Cherrymount Crescent, junto à Malahide Rd, Marino ⓣ01/833 1618, ⓦwww.heritageireland.ie. Visitas guiadas jan-mar, nov e dez sáb e dom 12h–16h; abr sáb e dom 12h–17h; mai e out diariam 10h–17h; jun-set diariam 10h–18h; última admissão 50min antes de fechar; € 2,90; Heritage Card. Ônibus 20B, 27B de Eden Quay, ou 27 da Talbot St; ou DART até Clontarf, depois 15min a pé. Localizado no hoje não muito promissor subúrbio de Marino, o Casino é talvez o melhor exemplo de arquitetura neoclássica da Irlanda. Foi encomendado pelo primeiro conde de Charlemont, o mais destacado intelectual da Dublin georgiana, logo depois que ele voltou da sua Grande Viagem de oito anos. Buscando recriar um parque italiano com um *casino* (casinha, em italiano) no centro, aproveitando as belas vistas da baía de Dublin que sua propriedade oferecia, Charlemont contratou Sir William Chambers, arquiteto da Somerset House de Londres. Iniciada em 1757, a construção durou quase vinte anos e custou a bagatela de £ 20 mil (€ 5 milhões de hoje), quase levando-o à falência.

O **exterior** tem entalhes maravilhosos em pedra de Portland, refletindo, em especial nas cabeças de boi que

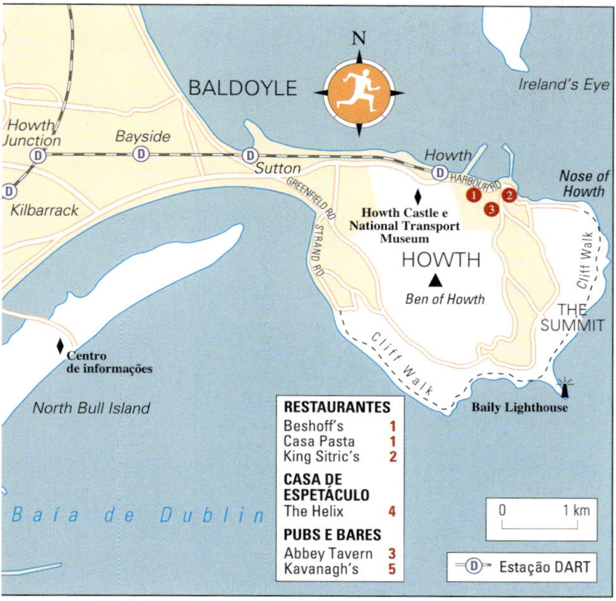

simbolizam o sacrifício animal, o gosto do Iluminismo pela antiguidade pagã. Para manter cristalino o aspecto neoclássico, Chambers ocultou chaminés e usou colunas dóricas ocas como calhas de drenagem (com correntes de bronze dentro para reduzir o ruído da água). Mas seu artifício mais notável, no entanto, está nas proporções: observado de fora, o Casino parece ter um único andar, mas quando se está dentro da construção percebe-se que, na verdade, são três andares bem projetados, contendo dezesseis quartos ao todo.

Os incríveis padrões de artesania aparecem também no **interior**, com enfeites de gesso trabalhado e pisos de madeira montados em padrões geométricos. Nada poderia entendiar o olhar dos convidados: portas de entrada convertem-se em janelas, e uma série de túneis foram escavados sob o terreno em volta, incluindo um que chegava até a casa principal (hoje demolido), para que os criados em trânsito não atrapalhassem a visão da paisagem.

▼ O CASINO DE MARINO

Bram Stoker Dracula Experience

Bar Code, West Wood Club, Clontarf Rd ①01/805 7824, ⓦwww.thebramstokerdraculaexperience.com. Sex 16h–22h, sáb e dom 12h–22h; € 7, crianças € 4. DART até Clontarf. No subsolo de um centro de lazer, esta atração bem projetada combina museu e show, e diverte crianças que gostam de terror. É comandado por um entusiasta de Drácula cuja missão é colocar Stoker –que nasceu do outro lado da rua, no The Crescent, em 1847, e foi educado no Trinity College–, no panteão dos escritores irlandeses. O início da exposição é totalmente convencional, com painéis sobre a vida de Stoker, e suas influências, mas as coisas ficam sombrias quando os visitantes atravessam um túnel de desorientação, com várias cenas repulsivas –o covil do Drácula, o hospício de Renfield–, pontuadas por muitos sustos e surpresas.

North Bull Island

Centro de informações no final da estrada elevada, junto à praia no centro da ilha ①01/833 8341. Seg-sex 10h–16h30, sáb e dom 10h–17h30; gratuito. DART até Raheny, depois caminhada de 30min até o centro de informações, ou ônibus 130 da Lower Abbey St pela Clontarf Rd, e, em seguida, andar pela North Bull Wall. Ladeada pela **Dollymount Strand**, praia de cinco quilômetros na costa marítima, North Bull Island encanta os amantes da natureza –foi considerada, pela Unesco, Reserva da Biosfera– e fica a apenas oito quilômetros do centro da cidade. Originalmente, a ilha não era nada mais do que um banco de areia visível na maré baixa, mas cresceu à sombra de North Bull Wall, construída, junto com a South Bull Wall, em 1821, de acordo com o conselho do capitão William Bligh (famoso pelo HMS *Bounty*) para evitar o assoreamento da boca do Liffey.

Além de acomodar golfistas e dublinenses a passeio, a ilha recebe no inverno até 40 mil **aves** migratórias de mais de cinquenta espécies, incluindo um sexto da população mundial de gansos Brent –é um dos raros locais mais ao norte da Europa em que a praia não congela. No

Passeio pelo Howth Cliff

O melhor jeito de curtir Howth, num dia de sol, é fazer o **Cliff Walk** pela península, com a bela vista das Wicklow Mountains ao sul e do Boyne Valley ao norte. Ande 8km no sentido horário, da vila pelo lado da península voltado para oeste, e mais 3km a pé a beira-mar pela Strand Road e Greenfield Road até a estação Sutton do DART; são três horas ao todo.

Primeiro vá para leste pela Balscadden Road até **Nose of Howth**, antes que o caminho vire para o sul, cruzando as encostas acima dos rochedos, cobertas de tojos coloridos e urzes na estação; você pode fazer uma parada neste trecho, na área conhecida como **The Summit**, à beira do caminho para o interior, onde há um *pub* e um café. O ponto sudeste é marcado pelo farol Baily, que até março de 1997 era o último farol com operador humano na costa da Irlanda. O caminho ao longo da costa voltada para o sul da península é a parte mais espetacular da caminhada, oferecendo vistas bem próximas dos rochedos, de praias isoladas e ilhas rochosas.

▲ HOWTH HARBOUR

verão, vêem-se nos mangues cormorões (biguás, para os brasileiros), que se alimentam de ostras, e maçaricos. Além da **flora** rica e variada –um aglomerado de flores cor-de-rosa em junho e vários tipos de orquídea–, a área verde atrás abriga musaranhos, texugos e um dos poucos grandes mamíferos nativos, a lebre irlandesa, muito caçada.

Howth

DART até a estação Howth. Nas encostas de uma península rochosa e de frente para um animado porto pesqueiro, a vila de Howth é um ótimo lugar para escapar da agitação do centro. Caminhar ao vento pelo píer leste do porto irá espantar qualquer sonolência induzida pela Guinness e dar-lhe a chance de vislumbrar a ilha **Ireland's Eye**, um santuário de aves marinhas que contém as ruínas de um mosteiro do século 6º e uma torre Martello; no verão, quando há número suficiente de passageiros, barcos do píer percorrem a ilha.

A dez minutos a pé da estação DART, o **Howth Castle**, de 1564, a mais antiga casa desabitada da Irlanda, não abre ao público, mas um celeiro na área externa virou o **National Transport Museum** (Ⓦwww.nationaltransport-museum.org; jun-ago seg-sex 10h–17h, sáb e dom 14h–17h; set-mai sáb e dom 14h–17h; € 3), que exibe tratores antigos, um carro de bombeiros puxado a cavalo e um velho bonde de Hill of Howth.

Restaurantes

Beshoff's

10 Harbour Rd, Howth Ⓦwww.beshoffrestaurants.ie. Com azulejos e muito cromado, bem gerenciado, este é um local de peixes e fritas, ótimos bolinhos de peixe, porções generosas, camarão fresco bem frito e extras como maionese de alho.

Casa Pasta

12 Harbour Rd, Howth Ⓣ01/839 3823. Fecha no almoço seg-sáb. Restaurante italiano popular com uma atmosfera familiar e vistas do porto. O cardápio de preço moderado tem as usuais massas, saladas e pizzas, e é enriquecido por especiais do dia e alguns poucos pratos principais chineses.

King Sitric's Fish Restaurant

East Pier, Howth Ⓣ01/832 5235, Ⓦwww.kingsitric.ie. Fecha dom.

▲ KAVANAGH'S

Restaurante excelente, com vistas panorâmicas do mar, oferece peixe do píer vizinho, lagosta da baía Balscadden, além de frutos-do-mar e caça. É caro, mas os cardápios do almoço têm boa relação custo-benefício. Há quartos disponíveis (duplos a partir de € 145) se você quiser esticar a estadia.

Pubs

The Abbey Tavern

Abbey St, Howth ☎01/839 0307, ⓦwww.abbeytavern.ie. *Pub* tradicional do século 16, acolhedor e muito bem decorado com madeira escura, azulejos e lareiras, e concorrido pelos shows noturnos de dança irlandesa e baladas na sala dos fundos (€ 20 com café irlandês, € 58 com uma refeição de três pratos). O bar serve almoço –sopa, sanduíches, frutos-do-mar e refeições quentes e simples– e uma boa Guinness.

Kavanagh's

Prospect Square, Glasnevin. Um dos melhores *pubs* da cidade, conhecido também como The Gravediggers, é um clássico à meia-luz, com piso de madeira rústico, bancos e cavaletes. Serve sanduíches de segunda a sexta na hora do almoço. Fica junto à antiga entrada para o Prospect Cemetery, e desde 1833 mudou pouco, continuando a oferecer conforto para quem vem ao cemitério. O melhor acesso é pela entrada atual: volte pela Finglas Road e pegue a primeira pequena alameda à esquerda junto aos muros do cemitério.

Casa de espetáculo

The Helix

Dublin City University, Collins Ave, Glasnevin ☎01/700 7000, ⓦwww.thehelix.ie. Local moderno para 1.250 pessoas, com atrações que incluem bandas de rock, jazz, música erudita, balé, musicais, shows de patinação no gelo e eventos especiais, além de espetáculos variados em seu pequeno teatro.

Passeios de um dia

Em um raio de 50 quilômetros de Dublin, há regiões e atrações maravilhosas para explorar. Você pode apreciar descobertas do Neolítico na admirável Brú na Bóinne, Patrimônio da Humanidade pela Unesco, ver ruínas do cristianismo primitivo em Glendalough, caminhar pelas trilhas das Wicklow Mountains, e conhecer belas mansões georgianas em jardins e parques. Se preferir um programa à beira-mar, vá até Bray, que oferece prazeres para todos os bolsos. O transporte público eficiente facilita –e barateia– a viagem a estas atrações, mas se tiver tempo e vontade de explorar melhor a região, talvez valha a pena fazer um passeio de carro (ver box na pág. 174).

Bray

DART to Bray station. Depois da fronteira de County Wicklow, o antigo resort vitoriano de Bray atrai hoje nos fins de semana de verão um grande fluxo de dublinenses, que descem da linha DART para passear aqui, lotando as arcadas da orla, com suas diversões e lojas de fast-food. Mas a bela **praia** de areia e cascalho, junto ao acidentado promontório de Bray Head, é longa o suficiente para acomodar a multidão, e a cidade ainda promove diversos festivais para atrair visitantes, como o Bray Jazz Festival em maio e o Oscar Wilde Autumn School em outubro (pág. 208). Veja detalhes dos eventos no **escritório de turismo** (jun-ago seg-sex 9h–13h e 14h–17h, sáb 10h–15h; set-mai seg-sex 9h30–13h e 14h–16h30, sáb 10h–15h; Ⓣ01/286 6796), situado em um antigo tribunal do século 19 na Main Street, uma caminhada de dez minutos para o interior, saindo da estação DART. O **centro de tradições** anexo (mesmo horário; € 3) é dedicado à história local, focalizando as conquistas impressionantes de Sir William Dargan, que entre 1831 e 1834 construiu a ferrovia Dublin-Kingstown (hoje Dún Laoghaire), a primeira linha de trem de subúrbios do mundo, e ainda ajudou a fundar a National Gallery de Dublin.

National Sea Life Centre

Strand Rd, Bray Ⓣ01/286 6939, Ⓦwww.sealifeeurope.com. Diariam no verão 10h–18h; inverno seg-sex 11h–17h, sáb e dom 10h–18h;

▼ NATIONAL SEA LIFE CENTRE

Excursões

Excursões são muito úteis para ver mais de uma atração no mesmo dia; as que incluem Newgrange (pág. 181) garantem vaga na visita guiada ao corredor-túmulo. É bom reservar com antecedência, seja diretamente, através de um escritório de turismo ou do seu hotel. Os ingressos costumam estar incluídos no preço, mas o almoço não.

A **Bus Éireann** (Ⓣ01/836 6111, Ⓦwww.buseireann.ie) tem entre seus destinos Glendalough e Powerscourt (meados-mar a out diariam; nov a meados-mar qua, sex e dom; 10h; 7h 45min; € 32) e Newgrange (mai-set diariam exceto sex; nov-abr qui e sáb; 10h; 7h 45min; € 32), saindo de Busáras, na Store Street.

A **Day Tours Unplugged** (Ⓣ01/834 0941 ou 087 272 0764, Ⓦwww.daytour-sunplugged.ie) organiza passeios de um dia para Glendalough, via Sandycove e Dalkey (8h; € 26), saindo da Gardiner Street (8h50), ou dos escritórios de turismo da O'Connell Street e da Suffolk Street.

A **Dublin Bus** (Ⓣ01/703 3028, Ⓦwww.dublinbus.ie) tem o passeio diário "Costa Sul e Jardins", que sai do escritório de turismo da O'Connell St Upper, 59, e passa pela costa de Bray e depois por Powerscourt (11h; 4h 30min; € 25).

A **Gray Line** (Ⓣ01/605 7705, Ⓦwww.irishcitytours.com) promove todo dia o passeio "Wicklow Mountains, Vales e Lagos", que sai do escritório O'Connell Street Upper (9h45), parando no Trinity College (9h55) e que inclui Glendalough e as montanhas (seg e sex-dom € 30, ter-qui € 25; 7h). Também faz uma excursão a Newgrange (Páscoa-out seg, ter, sex e sáb 10h; 6h; € 32) saindo do escritório de turismo da Suffolk Street; e o passeio "Grand Wicklow", incluindo Glendalough e Powerscourt (meados-mar a meados-nov dom; 8h; € 38), saindo do escritório de turismo da O'Connell Street Upper (10h), com parada no Trinity College (10h10).

Os **Mary Gibbons Tours** (Ⓣ01/283 9973, Ⓦwww.newgrangetours.com) incluem Newgrange, Hill of Tara (sede dos reis celtas da Irlanda) e Boyne Valley (seg-sáb; 6h 15min; € 35), e saem da Pizza Hut ao lado do escritório da Suffolk Street às 10h15, com parada em vários hotéis de Dublin.

A **Over the Top Tours** (Ⓣ1800 424252 or 01/860 0404, Ⓦwww.overthetoptours.com) (8h; € 26), tem vans para Glendalough e as Wicklow Mountains que partem do Gresham Hotel da O'Connell Street Upper, às 9h20, com parada no escritório de turismo da Suffolk Street às 9h45.

A **Railtours** (Ⓣ01/856 0045, Ⓦwww.railtoursireland.com) tem passeios de trem e ônibus combinados, incluindo o "Wicklow Mountaineer" (seg-sáb 11h35; 7h; € 39), que passa por Glendalough, saindo da Connolly Station.

O **Wild Wicklow Tour** (Ⓣ01/280 1899, Ⓦwww.wildwicklow.ie) inclui Glendalough e trilhas alternativas nas montanhas (8h; € 28), e sai do Shelbourne Hotel, St Stephen's Green, às 8h50 todo dia, parando no escritório de turismo da Suffolk Street às 9h10 e no Gresham Hotel às 9h20.

última admissão 1h antes de fechar. € 9,95, crianças € 7,50. A principal atração de Bray, especialmente popular entre as crianças, é o National Sea Life Centre da orla, um dos **aquários** de uma rede européia dirigida por aficionados por peixes, com muitas atividades para crianças, além de painéis informativos que irão manter os adultos interessados. Ele cobre toda a gama de habitats marinhos e de rio –incluindo "talvez o maior cardume de piranhas da Irlanda"– com forte ênfase na necessidade de preservação ambiental. Como sempre, as criaturas mais exóticas são as que causam mais sensação nos visitantes, especialmente os tubarões negros, que se destacam no tanque tropical de tubarões, e o assustador caranguejo-aranha gigante japonês, que pode chegar a quatro metros, de uma garra a outra.

Killruddery House and Gardens

Junto à Southern Cross Rd, Bray ⓣ0404/46024, ⓦwww.killruddery.com. Jardins: abril sáb e dom 13h–17h; mai-set diariam 13h–17h; € 6. Casa: mai, jun e set diariam 13h–17h; € 10 (inclui jardins). Ônibus 84,184 ou ônibus Finnegan da estação Bray do DART, ou 20min a pé do extremo sul da orla (via Putland Rd, Newcourt Rd, Vevay Rd e Southern Cross Rd).

Caminhada de Bray Head a Greystones

Há um ótimo passeio, de duas a três horas, saindo da orla de Bray, passando por Bray Head, até **Greystones**, cidade no fim da linha DART. Você pode pegar a **trilha dos rochedos,** que é quase plana e corre acima da linha do trem boa parte do trajeto, com vistas de enseadas rochosas e cumes de ardósia batidos por grandes ondas em dias de vento, ou pegar a subida íngrime até o topo de **Bray Head** para ver a baía de Killiney e as montanhas em forma de cone do interior, conhecidas como Little Sugar Loaf e Great Sugar Loaf, tendo ao longe as Wicklow Mountains. O caminho sobe de repente do final da orla de Bray por bosques de pinheiros e encostas de tojo até uma grande cruz, que marca o Ano Santo de 1950; daqui uma trilha sinuosa corta a fenda abaixo do pico de 240 m de Bray Head, antes de virar à esquerda para seguir a trilha dos rochedos até Greystones.

Usada muitas vezes como locação de filmes, como *Meu pé esquerdo* e *Amor e inocência*, a propriedade de Killruddery tem como destaque seus **jardins**, criados no século 17 no estilo formal francês antigo com acréscimos nos séculos 18 e 19. São os jardins mais antigos da Irlanda, com longos caminhos ladeados de cercas de carpino, faia e cal, e um "**teatro silvestre**" do século 18, emoldurado por uma cerca viva e bancos em forma de terraço, onde ainda se encenam peças no verão, especialmente durante os três dias do festival de artes no fim de junho.

▼ POWERSCOURT ESTATE

Os dois lagos geminados de 200 metros de comprimento, que já foram habitados por peixes que serviam de alimento, foram concebidos como espelhos d'água para ornar a frente da **casa principal**. Esta, em estilo Tudor Revival, ainda é da família Brabazon (os condes de Meath), e ostenta alguns sofisticados tetos de gesso. Quando a casa está aberta, pode-se entrar na Orangery, construída na década de 1850 depois da moda lançada pelo Palácio de Cristal de Londres, e restaurada em 2000 –chamada de "Domo do Milênio da Irlanda". Killruddery ganha destaque especial no Wicklow Gardens Festival de maio a agosto (pág. 207).

Powerscourt Estate

Enniskerry, Co. Wicklow ⓣ01/204 6000, ⓦwww.powerscourt.ie. Casa e jardins: diariam 9h30–17h30; no inverno os jardins fecham ao anoitecer; € 9. Cachoeira: diariam: jan, fev, nov e dez 10h30h–16h; mar, abr, set e out 10h30–17h30; mai-ago 9h30–19h; fecha duas semanas antes do Natal; € 5. Ônibus 44 da Townsend St ou 185 do DART de Bray.

No sopé do lado nordeste das Wicklow Mountains, a 19 quilômetros ao sul de Dublin e menos de um quilômetro depois da vila de Enniskerry, fica o imenso Powerscourt Estate, onde, com tempo bom, você pode passar o dia inteiro. Embora a propriedade seja hoje uma espécie de complexo de lazer, com campo de golfe, centro de jardinagem, lojas de artesanato e um hotel de luxo, a principal atração ainda são os **jardins**, cujo desenho espetacular se alia à sua ótima localização em frente à montanha Great Sugar Loaf.

No fim do século 12, neste local estratégico foi construído um castelo pela família anglo-normanda Le Poer (de power, "Poder"), da qual derivou o nome. Mas o que se vê hoje data do início do século 18, quando Richard Wingfield, visconde de Powerscourt, contratou Richard Castle para construir uma **mansão paladiana** –uma das maiores da Irlanda. A casa ainda impessiona, vista a distância, mas a maior parte do seu interior foi destruída por um incêndio em 1974 (às vésperas da festa para celebrar uma grande reforma). Depois disso, a casa foi sendo recriada por partes, como o **salão de baile** do andar de cima, com pé direito duplo e colunas, e há um excelente **café** da Avoca (pág. 70) no térreo e um terraço com lindas vistas do jardim. O salão de baile é acessível, pois faz parte de uma exposição com mostras sobre as glórias passadas da casa e curtas-metragens sobre a história e construção da propriedade.

Os **jardins italianos** dispostos em terraços descem graciosamente a partir da parte de trás da casa. O terraço mais alto, com as figuras aladas da fama e da vitória ladeando Apolo e Diana, foi projetado em 1843 por Daniel Robertson, que sofria de gota e costumava ser carregado pelo local num carrinho de mão, segurando uma garrafa de bebida –quando esta terminava, ele encerrava seu dia de trabalho. Um majestoso lance de escadas leva a um fogoso par de cavalos com asas de zinco, que guardam o lago Triton, cuja estátua central do deus do mar (baseada na fonte de Bernini da Piazza Barberini em Roma) solta um jato de água de 30 metros para o alto.

A leste dos terraços fica o curioso Pepper Pot Tower (modelado com precisão a partir da caixa do jogo de jantar do oitavo visconde de Powerscourt), rodeado por coníferas americanas, e um colorido **jardim japonês** de bordos, azaléas e palmeiras, sobre um pântano aterrado.

A oeste dos jardins italianos fica o **jardim murado**, com canteiros de rosas, fileiras de herbáceas e belas entradas cerimoniais: o Chorus Gate, decorado com lindos trombeteiros dourados, e o Bamberg Gate, que pertencia à catedral de Bamberg na Baviária e mostra notáveis arcos em perspectiva como parte de seu desenho em ferro trabalhado dourado.

A atração final é a **cachoeira** mais alta da Irlanda, que cai em diagonal pela rocha e alimenta o rio Dargle no vale embaixo. Fica a 6 quilômetros da estrada a partir do portão principal, mas é bem sinalizada.

Glendalough

Co. Wicklow ☎0404/45325, Ⓦwww.heritageireland.ie. Local e centro de

▲ TORRE REDONDA, GLENDALOUGH

visitantes: diariam: meados-mar a meados-out 9h30–18h; resto do ano 9h30–17h. Centro de visitantes € 2,90 (Heritage Card); local, gratuito. O ônibus de St Kevin (Ⓣ01/281 8119, Ⓦwww.glendaloughbus.com) passa em frente à Mansion House na Dawson Street, Dublin via Bray (Town Hall, Main St) até Glendalough de seg-sáb às 11h30 e 18h (19h aos sáb em jul e ago), dom 11h30 e 19h (€ 11 ida, € 18 volta).

Situado no fundo de um vale glacial no coração das Wicklow Mountains, Glendalough, o "vale dos dois lagos", fica em local belíssimo e contém os restos de um dos mais bem preservados sítios monásticos da Irlanda.

O **mosteiro** foi fundado por St Kevin no século 6º e teve papel vital no desenvolvimento da educação na Europa pré-medieval. Você pode descobrir mais a respeito de sua história nos painéis informativos e vídeos do **centro de visitantes**, e todos são convidados para a **visita guiada** informativa de 40 minutos (incluída no preço do ingresso), montada para grandes grupos, mas com uma edição regular diária às 14h.

O local tem nada menos do que cinco igrejas e uma impressionante **catedral** do século 9º (hoje sem o teto), contendo lápides de vários túmulos, além de uma **torre redonda**, com mais de 30 metros de altura, uma das mais notáveis do país. Junto à catedral, fica a **St Kevin's Cross**, uma das relíquias mais interessantes do período, formada por um monólito de granito decorado com um entalhe do século 8º de uma cruz celta sobre uma roda; fato incomum é que os quadrantes da cruz não foram perfurados, o que sugere que ficou inacabada. Acima da entrada da **Priests' House**, do século 12, que pode ter sido o local do túmulo e santuário de Kevin, há entalhes esmaecidos de figuras, provavelmente do santo e de dois abades (posteriores).

Descendo a colina, fica a **St Kevin's Church**, com dois andares, cujo telhado inclinado e torre do sino parecem tanto com uma chaminé que o edifício é conhecido também como "Cozinha de St Kevin", embora provavelmente fosse um oratório.

Andando para oeste pela "Green Road", passando o Lower Lake, em vinte minutos você chega ao Upper Lake e às ruínas da pequena **Reefert Church**, românica, cujo pequeno cemitério dizem conter os túmulos de chefes locais. Daqui sobe uma trilha para a **St Kevin's Cell**, um refúgio tipicamente celta, com telhado em mísula, num promontório de frente para o lago. Subindo o rochedo, há uma pequena caverna, a **St Kevin's Bed,** onde, de acordo com a lenda, o santo se refugiava para evitar o assédio de uma admiradora chamada Caitlín; dizem que sua última medida para resistir às investidas da pobre moça foi atirá-la no lago.

Wicklow Mountains National Park Information Office

Glendalough, Co. Wicklow ⓣ0404/45425, ⓦwww.wicklownationalpark.ie. Mai-set diariam 10h–17h30; fev-abr, out e nov sáb e dom 10h–18h; jan e dez sáb e dom 10h–16h. Na ponta leste do Upper Lake de Glendalough, fica o centro de informações do Wicklow Mountains National Park, que dá detalhes sobre as montanhas e organiza **passeios guiados** gratuitos (consulte o *site*). Ele também informa sobre trilhas para caminhadas e vende uma série de folhetos sobre o parque nacional, incluindo o *The Walking Trails of Glendalough*, que sugere trajetos que levam de 45 minutos a quatro horas.

Russborough House

Blessington, Co. Wicklow ⓣ045/865239, Erussborough @eircom.net. Abr e out dom e feriados 10h–17h; mai-set diariam 10h–17h; entrada só com visita guiada; € 6. Labirinto: jun-ago diariam 10h–17h; € 2. Ônibus 65 do Eden Quay ou College Green – seis ou sete vezes por dia esses ônibus seguem além de Blessington até Ballymore Eustace, o que vai deixar você bem perto da casa. Situada cerca de três quilômetros ao sul de Blessington, a Russborough House é uma luxuosa casa de campo paladiana, projetada por Richard Castle para Joseph Leeson, mais tarde conde de Milltown, filho de um rico cervejeiro de Dublin. Castle morreu antes do final da construção, deixando para Francis Bindon a tarefa de supervisionar seu grande projeto. Concluído em 1751, o edifício em granito de Wicklow, com **fachada** de 210 metros de largura e perfil de colunas curvilíneas, é o mais longo desse tipo na Irlanda.

Russborough ficou famosa por suas **coleções de arte**, tanto sob os Milltowns como mais tarde sob os Beits, que fizeram fortuna com sua De Beers Diamond Mining Company e compraram a casa em 1952 (ambas as famílias doaram muitas obras de arte à National Gallery em Dublin). Infelizmente, a fama trazida pelas obras de arte atraiu também o tipo errado de atenção: a casa foi roubada nada menos do que quatro vezes entre 1974 e 2002, embora quase todas as pinturas tenham sido depois recuperadas. Hoje, devido ao trabalho de

▼ RUSSBOROUGH HOUSE

restauração, nenhuma dessas pinturas está em exposição; para compensar, a **visita guiada** inclui rotineiramente os dormitórios do primeiro andar, além do principal, no térreo. Mas prevê-se que voltarão a ser expostas obras de Murillo, Bellotto e Gainsborough, entre outros; quando isso acontecer, será possível escolher entre duas visitas guiadas: uma do térreo e das pinturas; a outra, menos frequente e menos atraente, do primeiro andar.

Com ou sem as pinturas, o **interior** da casa é luxuoso, com os tetos decorados com trabalho barroco em gesso dos irmãos Lafranchini, principalmente no salão, retratando as quatro estações, e na sala de música, onde o engenhoso desenho geométrico parece acrescentar altura ao ambiente. Há outros trabalhos em estuque, com cenas de caça e guirlandas, enfeitando a escadaria principal em cantiléver, entalhados em mogno cubano escuro por artesãos irlandeses no século 18. Outros destaques são a lareira em mármore italiano na sala de jantar, retratando Baco e as videiras, e uma série de relógios franceses do século 15, aos quais alguém ainda dá corda toda terça-feira.

A casa tem um **café** agradável, e na área externa há um labirinto e uma trilha de 2 quilômetros que passa por um jardim murado e outro jardim no pântano.

Castletown House

Celbridge, Co. Kildare ⓣ01/628 8252, ⓦwww.heritageireland.ie. Páscoa a set seg-sex 10h–18h, sáb, dom e feriados 13h–18h; out seg-sex 10h–17h, dom e feriados 13h–17h; entrada só com visitas guiadas; € 3,70; Heritage Card. Ônibus 67 ou 67A da Pearse St até Celbridge. Maior e mais antiga casa de campo paladiana da Irlanda, Castletown tem acesso por portões localizados seguindo pelo extremo norte da rua principal de Celbridge e depois por uma longa avenida arborizada. Sua fachada cinza e simples, mas elegante, no estilo de uma casa italiana urbana do século 16, esconde um belo interior, rico em fascinantes detalhes.

A casa foi construída para **William Conolly**, filho de um

▼ CASTLETOWN HOUSE

coletor de impostos de Donegal que, como conselheiro jurídico de Guilherme III, tornou-se o homem mais rico da Irlanda negociando com propriedades confiscadas após a batalha do Boyne, e foi eleito presidente da Câmara dos Comuns da Irlanda em 1715. No entanto, o projeto levou um tempo extraordinariamente longo para ser concluído –de 1722 a 1770, bem depois da morte de Conolly– e empregou vários arquitetos, entre eles o conhecido Sir William Chambers, responsável pela Somerset House de Londres.

A interessante **visita guiada** de uma hora destaca uma impressionante série de ornamentos, incluindo obras em estuque retratando as quatro estações, dos irmãos Lafranchini, junto com a impressionante escadaria em cantiléver, construída com pedra Portland e corrimão de metal sólido, que pesa mais de dez toneladas. Talvez o sinal mais ostensivo de riqueza de Castletown seja o **Print Room**, cujas paredes foram cobertas de papel, num trabalho árduo que durou seis anos, com gravuras em branco e preto de Londres e Paris, que retratam de tudo, desde paisagens e cenas bíblicas a atores famosos da época, complementadas por bordas decorativas de grinaldas, correntes e máscaras. A **Long Gallery** do andar superior exibe bustos de filósofos gregos e romanos, murais com cenas clássicas de amor e tragédia e uma porta falsa, incluída para efeito de simetria, e suas janelas têm vistas da **Conolly Folly**, uns 3 quilômetros ao norte –um edifício misterioso, de 50 metros de altura, formado por um obelisco, um tanto

▲ ESCADARIA, CASTLETOWN HOUSE

instável, fincado no alto de uma cascata de arcos. Atribuído a Richard Castle, foi erguido como monumento ao presidente Conolly por sua viúva, e para dar trabalho aos pobres durante a fome da praga das batatas de 1739-41.

Brú na Bóinne

Donore, Co. Meath ☎041/988 0300, ⓦwww.heritageireland.ie. O vale do rio Boyne, a 50 quilômetros ao norte de Dublin, é pontuado de vestígios do Neolítico. Os mais importantes estão nas **passagens-túmulos** de Newgrange, Knowth e Dowth, embora este último sítio ainda esteja sendo escavado. Newgrange e Knowth têm acesso pelo impressionante centro de visitantes de Brú na Bóinne perto de Donore, que dá informação detalhada sobre a importância dos sítios, sua construção e objetos de arte (além de ter um balcão de informações ao turista e um café). Há uma ponte para

Visita a Brú na Bóinne

Horários

O centro de visitantes de Brú na Bóinne abre todo dia: mar, abr e out 9h30–17h30; mai e segunda quinzena de set 9h–18h30; jun a meados-set 9h–19h; nov-fev 9h30–17h. Os últimos ônibus para Newgrange e Knowth saem 1h e 45min antes do fechamento. Newgrange fica aberta o ano todo, Knowth apenas da Páscoa até outubro.

Preços dos ingressos

O ingresso para o centro de visitantes custa € 2,90; ingresso combinado com Newgrange € 5,80; ingresso combinado com Knowth € 4,50; todos os três € 10,30. O Heritage Card vale para todos.

Como chegar

Pegue o ônibus Éireann 100 de Busáras a Drogheda (também há trens de subúrbio nas estações Pearse, Tara Street ou Connolly), e depois o ônibus 163, que faz a conexão com o 100, cinco ou seis vezes por dia. Ou pegue em Newgrange o ônibus da Over the Top Tours (pág. 174; € 18 volta) que sai do escritório da Suffolk Street diariamente às 8h45 e 11h15, e pára no Royal Dublin Hotel, O'Connell Street Upper, às 9h e 11h30, voltando do centro de visitantes às 13h e 16h (o horário varia na alta estação); 45min; há bilhetes a bordo, mas é bom reservá-los em qualquer escritório de turismo.

pedestres do centro até o lado norte do rio, onde vans levam você a Newgrange e Knowth para as visitas guiadas.

Brú na Bóinne é uma das principais atrações da Irlanda, e cada sítio recebe um número de visitantes limitado. Não é possível agendar por telefone, por isso é bom chegar o mais cedo possível no dia, especialmente na Páscoa e no verão, para agendar lugar nas vans para Newgrange e Knowth, que saem em horários definidos. O domingo de manhã em geral é o período mais tranquilo da semana. Não vale a pena chegar atrasado, pois leva pelo menos três horas para ver Newgrange, Knowth e o centro de visitantes.

Newgrange é sem dúvida o mais impressionante dos montes de Brú na Bóinne, entre outras coisas porque sua fachada de quartzo branco e blocos de granito foi remontada. O quartzo veio originalmente de Wicklow, o granito das áreas de Mourne e Carlingford, uma façanha logística que desafia a razão. Estima-se que o túmulo, que tem mais de 75 metros de diâmetro e pesa no total 200 mil toneladas, teria demorado 40 anos para ser construído. Era o local do último descanso de uma família de status no Neolítico, mas parece ter tido também um propósito mais amplo como sítio ritual ou local de reunião. O aspecto mais incrível do túmulo é um **telhado em caixa** sobre a entrada, com uma fenda perfeitamente posicionada para receber os primeiros raios do sol no dia do solstício de inverno (21 de dezembro); a luz primeiro entra na câmara funerária antes de espalhar-se ao longo da passagem.

As fascinantes **visitas guiadas**

oferecem uma simulação com energia elétrica do fenômeno natural que ocorre na câmara funerária, e os ingressos para o evento real são decididos por sorteio todo ano.

Vale a pena agendar também o passeio guiado a **Knowth**. Cercado por 18 montes satélites, o túmulo principal é perfurado por duas passagens, aproximadamente alinhadas com o nascer e o pôr-do-sol nos dias de equinócio em março e setembro, e que levam a câmaras funerárias uma de costas para a outra. Knowth é até mais rica em arte neolítica do que Newgrange, com cerca de 250 pedras decoradas descobertas aqui, esculpidas com espetaculares e enigmáticos crescentes, divisas e outros desenhos geométricos –cerca da

▼ KNOWTH

metade de toda a arte conhecida das passagens-túmulo irlandesas.

Restaurantes e pubs

The Hungry Monk

Church Rd, Greystones ⓣ01/287 5759, ⓦwww.thehungrymonk.ie. Restaurante: qua-sáb 18h30–23h30, dom 12h30–10h. Vinheria: seg-sáb 17h–23h, dom 16h–21h. Um excelente restaurante tradicional, especializado em carne de caça no inverno e frutos-do-mar no verão, com ótima e abrangente carta de vinhos; especialmente concorrido no domingo, com cardápio fixo (€ 30) servido o dia inteiro. A vinheria, no andar de baixo, oferece cardápio mais barato e mais simples.

Castletown Inn

Upper Main St, Celbridge. Um bar de localização prática a cem metros da entrada principal da Castletown House, que também serve comida de bar excepcionalmente boa em porções gigantescas.

Lynham's

Laragh, Co. Wicklow. Cerca de 2km a leste de Glendalough, o Lynham's é um *pub* acolhedor onde você consegue excelente comida em seu animado bar e bem arrumado restaurante ou apenas espairece tomando uma cerveja numa de suas mesas ao ar livre junto ao rio.

The Porterhouse

The Strand, Bray ⓣ01/286 0668, ⓦwww.porterhousebrewco.com. Filial da excelente microcervejaria e *pub* de Temple Bar, serve suas próprias cervejas tipo *stout, lager* e *ale*, além de comida básica muito boa, como cozido irlandês, saladas e hambúrgueres. Tem um jardim para tomar cerveja apreciando a esplanada, e DJs nos fins de semana tocando até tarde.

Hospedagem

Hotéis e bed and breakfasts

Dublin tem muitas opções de hospedagem, mas os hotéis e *bed and breakfasts* da cidade estão entre os mais caros da Europa; encontrar uma cama pode ser especialmente complicado entre julho e agosto, nos grandes festivais e nos feriados, como o St Patrick's Day, e na época de grandes shows ou eventos esportivos. Agende direto com os hotéis ou contate um dos Fáilte Ireland (secretarias de turismo da Irlanda) ou o escritório do Northern Irish Tourist Board, que cobra € 4 para reservar um quarto. Os *Bed and Breakfasts* dos subúrbios em geral cobram € 60-80 por um quarto duplo, e os do centro cobram de € 100 a € 300. Para hotéis, você encontra de pechinchas a preços exorbitantes, mas é possível conseguir boas ofertas agendando com antecedência via Gulliver (Ⓣ066 979 2030, Ⓦwww.gulliver.ie), Dublin Tourism (Ⓦwww .visit-dublin.com) ou pelos *sites* dos estabelecimentos, especialmente no meio da semana no centro e nos fins de semana em hotéis que costumam hospedar quem viaja a negócios.

Trinity College, Grafton Street e arredores

The Westbury Harry St, junto à Grafton St Ⓣ01/679 1122, Ⓦwww.jurysdoyle. com. O reluzente lobby deste cinco-estrelas já indica o luxo e o conforto que oferece. Tem academia, bar especializado em coquetéis de champanhe e estacionamento. O preço oficial é de € 449, mas nas promoções da alta estação pode cair até para € 189; o café-da-manhã não está incluído.

The Westin Dublin Westmoreland St Ⓣ01/645 1000, Ⓦwww.westin.com /dublin. Atrás da fachada do antigo Allied Irish Bank, ao norte do Trinity College, o Westin esconde todo o seu luxo. São 163 quartos (todos para não fumantes) com design de primeira, alguns com instalações privativas de trabalho. O bar fica no antigo subsolo do banco e o *lounge* tem um incrível teto de vidro. € 254–539, conforme o tamanho do quarto e as instalações; café-da-manhã não incluído.

Kildare Street e Merrion Square

Buswells Hotel 23–27 Molesworth St Ⓣ01/614 6500, Ⓦwww.quinnhotels .com. Popular entre políticos pela proximidade da Leinster House, o Buswells tem 67 quartos com banheiro, belo design, numa casa georgiana adaptada. Enfeites de gesso e lareiras atestam suas origens nobres e o

Um guia de preços

Para hotéis, albergues e *bed and breakfasts,* os preços desta seção referem-se ao quarto duplo mais barato na alta estação do verão, incluindo café-da-manhã, a não ser quando conste de outro modo; a maioria dos hotés de primeira não inclui café-da-manhã no preço e cobra € 5–15. Para albergues, os preços referem-se à cama de dormitório mais barata na alta estação, ou um quarto duplo ou geminado, quando disponíveis. Costumam incluir café-da-manhã leve; as exceções estão indicadas no texto.

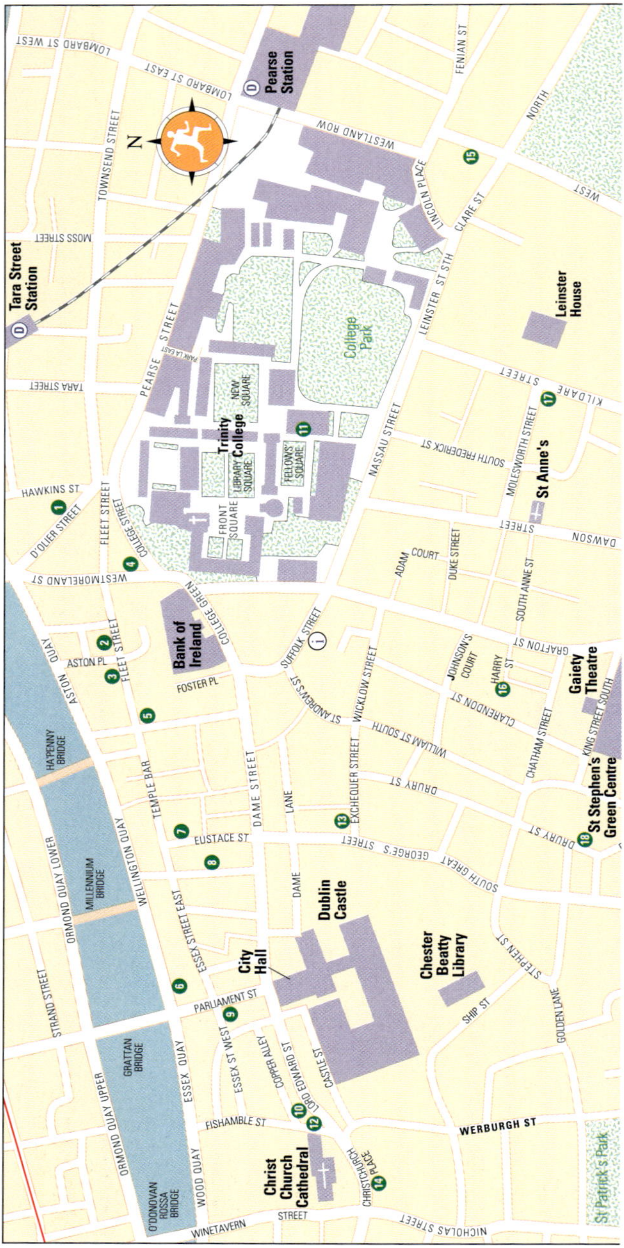
Tara Street Station
Pearse Station
Trinity College
College Park
Front Square
Library Square
New Square
Fellows' Square
Bank of Ireland
Leinster House
St Anne's
Gaiety Theatre
St Stephen's Green Centre
Dublin Castle
City Hall
Chester Beatty Library
Christ Church Cathedral
St Patrick's Park
Ha'penny Bridge
Millennium Bridge
Grattan Bridge
O'Donovan Rossa Bridge
Pearse Street
Westmoreland St
College Green
Dame Street
Grafton St
Nassau Street
Dawson Street
Kildare Street
Temple Bar
Wellington Quay
Essex Quay
Wood Quay
Ormond Quay Lower
Ormond Quay Upper
Werburgh St
Winetavern Street
Nicholas Street

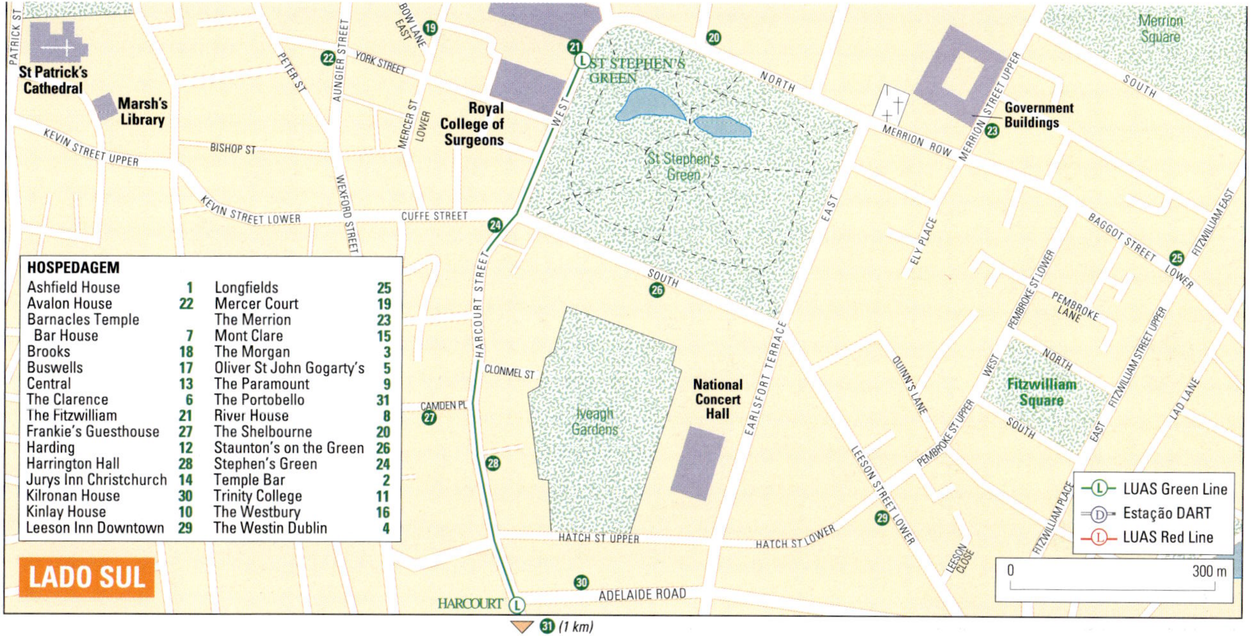

HOSPEDAGEM

Ashfield House	1	Longfields	25
Avalon House	22	Mercer Court	19
Barnacles Temple Bar House	7	The Merrion	23
Brooks	18	Mont Clare	15
Buswells	17	The Morgan	3
Central	13	Oliver St John Gogarty's	5
The Clarence	6	The Paramount	9
The Fitzwilliam	21	The Portobello	31
Frankie's Guesthouse	27	River House	8
Harding	12	The Shelbourne	20
Harrington Hall	28	Staunton's on the Green	26
Jurys Inn Christchurch	14	Stephen's Green	24
Kilronan House	30	Temple Bar	2
Kinlay House	10	Trinity College	11
Leeson Inn Downtown	29	The Westbury	16
		The Westin Dublin	4

hotel tem um ótimo grill/restaurante, bar e estacionamento seguro. € 195.

Longfields Hotel 9–10 Fitzwilliam St Lower ☎01/676 1367, ⓦwww.longfields.ie. Um pequeno hotel que prova que tamanho não é documento. Seus 26 quartos com banheiro têm mobília e decoração de alto nível, com belas cortinas, gravuras e algumas camas com dossel. A equipe é atenciosa, e o hotel tem um *lounge* acolhedor e, como bônus, um ótimo café-da-manhã. € 165.

The Merrion Hotel Merrion St Upper ☎01/603 0600, ⓦwww.merrionhotel.com. O conhecido desprezo do duque de Wellington por sua origem irlandesa –"ter nascido num estábulo não faz de alguém um cavalo"– soa ainda mais vazio agora que seu local de nascimento no nº 24 faz parte deste civilizadíssimo hotel de luxo. Quatro casarões do século 18 foram decorados em estilo georgiano, ostentando uma bela coleção de arte irlandesa, e com vistas para um jardim privativo. Suas instalações incluem o luxuoso Tethra Spa (pág. 34) e o restaurante Patrick Guilbaud (pág. 85). Casa Principal € 565, Ala do Jardim € 470; café-da-manhã não incluído.

Mont Clare Hotel Merrion St Lower ☎01/607 3800, ⓦwww.ocallaghanhotels.com. Junto à Merrion Square (e com estacionamento), o Mont Clare oferece 70 quartos com ar-condicionado recém-reformados, com muito conforto, localização atraente e ótimo preço. Tem bar e restaurante. € 135.

De St Stephen's Green ao Grand Canal

The Fitzwilliam Hotel St Stephen's Green ☎01/478 7000, ⓦwww.fitzwilliamhotel.com. Com majestoso e amplo *foyer* e quartos de bom gosto, –o design é de Sir Terence Conran–, o Fitzwilliam tem acomodações de luxo numa excelente localização central. Os preços dos quartos variam consideravelmente de acordo com o tamanho e as instalações (embora todos tenham internet grátis, CD player e flores frescas todo dia). Entre as instalações há um salão de beleza, jardim na cobertura, bares, estacionamento e restaurante. A Penthouse Suite (€ 3.200) tem bar próprio e piano de cauda. € 220.

Frankie's Guesthouse 8 Camden Place ☎01/478 3087, ⓦwww.frankiesguesthouse.com. De longe a hospedagem mais acolhedora para gays e lésbicas em Dublin, o Frankie's tem ótima localização e oferece doze quartos, simples e duplos padrão, e duplos e geminados com banheiro –nos fins de semana, exige-se estadia mínima de duas/três noites para os duplos/geminados e simples, respectivamente. O lindo jardim na cobertura e o suntuoso café-da-manhã que está incluído no preço são atrações adicionais. € 90.

Harrington Hall 70 Harcourt St ☎01/475 3497, ⓦwww.harringtonhall.com. Em sóbrias instalações georgianas e interior igualmente refinado, este estabelecimento ao sul de St Stephen's Green tem 28 quartos com banheiro, espaçosos, agradáveis e bem mobiliados, com vidro duplo e ventilador de teto. Bons descontos na baixa estação. € 230.

Kilronan House 70 Adelaide Rd ☎01/475 5266, ⓦwww.dublinn.com. Difícil superar a acolhida desta bela casa georgiana, com elegante decoração, com belos lustres de cristal Waterford, e anfitriões preocupados em oferecer conforto aos hóspedes, incluindo colchões ortopédicos em todos os quartos. € 152 (há alguns poucos quartos com chuveiro/bidê, mas toalete compartilhada, que saem por até € 110).

Leeson Inn Downtown 24 Leeson St Lower ☎01/662 2002, ⓦwww.leesoninndowntown.com. A alguns quarteirões de St Stephen's Green, o Leeson oferece 28 apartamentos bem equipados e mobiliados com bom gosto, dando ao hóspede a oportunidade de usufruir de um belo descanso em meio à agitação da cidade – sem pagar muito caro por isso. € 149.

The Portobello Hotel 33 Richmond St South ☎01/475 2715, ⓦwww.portobellohotel.ie. Acessado pelo Charlemont Mall à beira do canal e com recepção no primeiro andar, este estabelecimento acolhedor de 24 quartos tem aposentos duplos com banheiro incrivelmente espaçosos por preço bastante razoável. A maioria dos quartos ainda tem belas vistas do canal e das enevoadas montanhas de Dublin ao longe, além de banheiro e chuveiro. € 79.

The Shelbourne 27 St Stephen's Green ☎01/663 4500, ⓦwww.theshelbourne.ie. A grande dama dos hotéis de Dublin passou há pouco por uma reforma radical que também ampliou suas instalações. Os destaques do novo visual são o lobby em dourado, cujo velho elevador foi removido para revelar a antiga e majestosa escadaria, e o restaurante Saddle Room (pág. 92). O Horseshoe Bar (pág. 93) e o Lord Mayor's Lounge, onde você pode tomar um chá da tarde tradicional com vistas do Green e um piano ao fundo, também passaram por uma remodelação. Planeja-se instalar spa, piscina e academia. € 265; café-da-manhã não incluído.

Stauntons on the Green **83 St Stephen's Green ☎01/478 2300, ⓦwww.stauntonsonthegreen.ie.** Com localização imbatível no lado sul do Green e jardins privativos, este é um *bed and breakfast* muito bem equipado, com 30 quartos com banheiro, e conforto e estilo à altura do edifício georgiano. € 165.

Stephen's Green Hotel **St Stephen's Green ☎01/607 3600, ⓦwww.ocallaghanhotels.com** Com classe e sofisticação, mas ultramoderno, este belo hotel fica em frente ao canto sudoeste do Green. Além de animado bar, bistrô de preço razoável, sala de ginástica e internet sem fio, o hotel oferece 68 espaçosos quartos duplos com ar-condicionado e várias suítes ainda mais luxuosas (€ 435). € 145.

Temple Bar

The Clarence **6–8 Wellington Quay ☎01/407 0800, ⓦwww.theclarence.ie.** Antes reduto de padres e advogados do interior em visita à capital, o Clarence mantém o característico revestimento em carvalho claro da sua encarnação anterior, mas é agora um hotel de luxo, moderno, informal. Os donos são Bono e The Edge do U2, e o hotel abriga o restaurante Tea Room no antigo salão de baile (pág. 102) e o Octagon Bar (pág. 103), além da suíte de cobertura dúplex usada por vários astros do rock. Os 45 quartos têm sistema multimídia *high-tech*. Quando este guia foi escrito, havia planos de expandir o hotel, com a incorporação de edifícios do Wellington Quay. € 179.

The Morgan **10 Fleet St ☎01/643 7000, ⓦwww.themorgan.com.** Uma bênção quanto à qualidade de suas acomodações, e com ótimo design, o Morgan merece ser classificado como um hotel elegante. Os 121 quartos têm dimensões e equipamento variados, mas todos são extremamente confortáveis. € 150.

The Paramount Hotel **Parliament St ☎01/417 9900, ⓦwww.paramounthotel.ie.** No extremo leste de Temple Bar (entrada pelo Essex Gate), o Paramount tem acomodações de luxo – 66 quartos com tons e mobília inspirados na década de 1930 – e instalações bem modernas. Seu bar Turks Head tem estilo e serve comida de bistrô o dia inteiro. € 120.

River House Hotel **23–24 Eustace St ☎01/670 7655, ⓦwww.riverhousehotel.com.** Escondido numa das ruas mais calmas de Temple Bar, o River House, com sua fachada vermelha, é um dos poucos hotéis de administração familiar no centro, com 29 quartos duplos decorados com estilo. O café-da-manhã, excelente, inclui biscoitos fresquinhos. € 125.

Temple Bar Hotel **13–17 Fleet St ☎01/677 3333, ⓦwww.templebarhotel.com.** Com design de bom gosto, do lobby arejado aos modernos quartos com banheiro, o Temple Bar tem ótimo serviço, mas alguns quartos da frente recebem o barulho da rua nas altas horas da madrugada. O Buskers, o bar do hotel, é bem popular, e há um estacionamento próximo com desconto. € 145.

Dublin Castle e arredores

Brooks Hotel **Drury St ☎01/670 4000, ⓦwww.brookshotel.ie.** Butique hotel compacto, quatro estrelas, numa rua calma perto de Temple Bar e Grafton Street. Quartos com estilo, ar-condicionado –alguns com TV de tela de plasma e DVD players– além de uma pequena sala de ginástica e sauna, e serviço atencioso. € 170.

Central Hotel **1–5 Exchequer St ☎01/679 7302, ⓦwww.centralhotel.ie.** Com localização central, como o nome sugere, é um dos mais antigos da cidade (inaugurado em 1887). Os quartos com banheiro são mobiliados com estilo e a maioria tem bom isolamento do ruído da rua, embora alguns sejam apertados. O Library Bar do primeiro andar é popular no café-da-manhã e também fica lotado na *happy-hour*. € 125.

Harding Hotel **Copper Alley, Fishamble St ⓣ01/679 6500, ⓦwww.hardinghotel.ie.** Muito popular pelo preço econômico na alta estação e pelos quartos espaçosos, o Harding tem ainda bar Darkey Kelly (o nome vem de um dono de bordel do século 18 da Copper Alley), que oferece boa comida, ambiente agradável e uma programação bem escolhida de espetáculos ao vivo. € 99; com o café-da manhã, à parte, € 6,50-8,50.

Jurys Inn Christchurch **Christchurch Place ⓣ01/454 0000, ⓦwww.jurysinn.com.** Em frente à catedral (mas nem pense em comparar os méritos arquitetônicos dos dois), o Jurys é um hotel muito popular entre os que viajam com toda a família por seus preços baixos. Os quartos são confortáveis e funcionais, e o hotel tem restaurante, café e bar. € 122; café-da-manhã não incluído.

The Liberties e Kilmainham

Hilton Dublin Kilmainham **Inchicore Rd ⓣ01/420 1800, ⓦwww.hilton.co.uk /kilmainham; ver mapa pág. 124.** O exterior lembra o design de casas populares, mas é inegável a qualidade dos quartos e do serviço, embora seja um tanto impessoal e voltado para os que viajam a negócios, para quem a proximidade com a N4 é um bônus. Os quartos com banheiro são espaçosos e confortáveis e equipados com internet e TV a cabo. Há ofertas que se pode acompanhar pela internet e o hotel fica bem perto tanto de Kilmainham Gaol como do IMMA. € 109.

Arredores da O'Connell Street

Academy Plaza Hotel **Findlater Place, Cathal Brugha St ⓣ01/878 0666, ⓦwww.academy-hotel.ie.** Atrás da O'Connell Street, este bem equipado hotel foi totalmente reformado e tem agora 285 quartos com banheiro e suítes bem mobiliados, com ar-condicionado, além de bons cafés-da-manhã, um bar acolhedor e internet sem fio gratuita. € 125.

The Gresham Hotel **23 O'Connell St Upper ⓣ01/874 6881, ⓦwww.gresham-hotels.com.** Não é só um quatro-estrelas bem equipado, mas um marco de Dublin, e você não precisa ser hóspede para curtir o chá da tarde no luxuoso lobby ou as

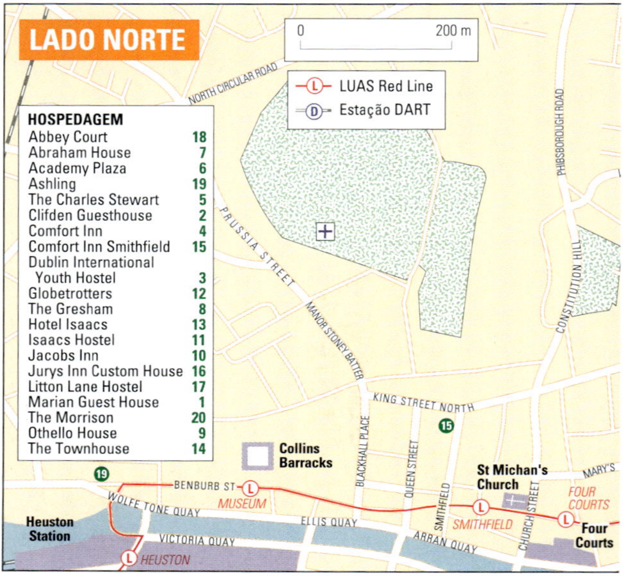

refeições de seu restaurante. Os quartos têm estilo, são espaçosos, e as suítes de cobertura com design individual (€ 1.500-2.200) incluem uma que já acolheu Liz Taylor e Richard Burton e outra com design do criador de "Spike", Ian Ritchie. € 150.

Hotel Isaacs **Store St Ⓣ01/813 4700, Ⓦwww.isaacs.ie.** A localização –em frente à Busáras– não é exatamente auspiciosa, mas o interior de bom gosto do Isaacs, sua equipe amistosa e eficiente no atendimento além dos 99 quartos bem equipados compensam bastante essa desvantagem. Tem seu próprio restaurante italiano, Il Vignardo, e um cosmopolita café-bar, Le Monde. € 119.

Jurys Inn Custom House **Custom House Quay Ⓣ01/607 5000, Ⓦwww.jurysinn.com.** A imbatível localização junto ao rio é o ponto forte desse *bed and breakfast*, além das incríveis vistas das docas de Dublin em reforma, principalmente quando apreciadas dos quartos dos últimos andares. O estabelecimento prima pela funcionalidade, o que não quer dizer que os quartos não sejam bem confortáveis. Tem bar, café e restaurante. € 108.

The Morrison **Ormond Quay Lower Ⓣ01/887 2400, Ⓦwww.morrisonhotel.ie.** Neste sofisticado templo do minimalismo o preto é a cor dominante, tanto no lobby como no ultramoderno bar (pág. 137). Nos quartos, agradáveis e luxuosos, também entram a cor chocolate e o creme, combinando com os materiais naturais que predominam na decoração (o designer de moda John Rocha prestou consultoria). A exclusiva Penthouse Suite (€ 1.100), com decoração requintada e equipada com todo tipo de conforto, tem ainda vistas espetaculares do rio. € 165.

Othello House **74 Gardiner St Lower Ⓣ01/855 4271, Ⓦwww.othellodublin.com.** Opção popular em rua agitada, este confortável *bed and breakfast* tem 22 quartos com banheiro, TV, telefone e máquina para chá/café, além de excelente café-da-manhã irlandês. O estacionamento é limitado. € 90.

The Townhouse **47–48 Gardiner St Lower Ⓣ01/878 8808, Ⓦwww.townhouseofdublin.com.** Esta casa georgiana reformada é um oásis de calma numa das ruas mais agitadas de Dublin. Os quartos

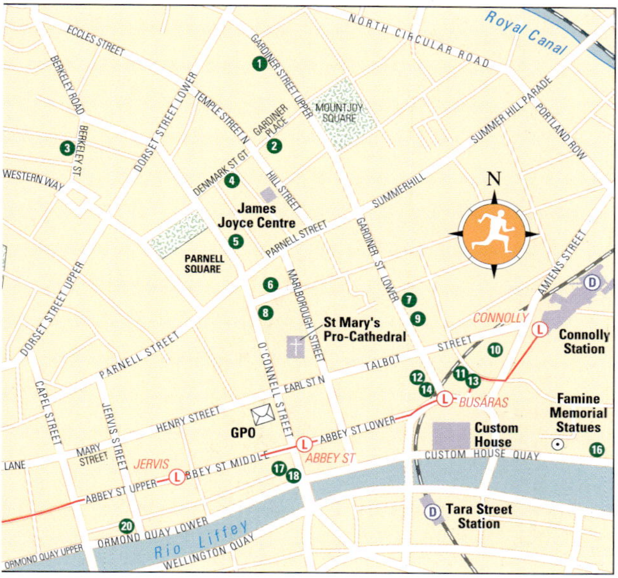

são decorados com estilo e têm banheiro espaçoso. O bufê do café-da-manhã é farto e com o atrativo de ser servido num belo salão com sacada; há várias vagas para estacionar. € 115.

Ao norte da Parnell Square

The Charles Stewart **5–6 Parnell Square ⓣ01/878 0350, ⓦwww.charlesstewart.ie.** O local é agitado, mas os quartos deste hotel econômico em geral ficam longe da rua. Tem bons duplos e triplos com banheiro, embora sem luxo algum, e alguns quartos simples são apertados. Além disso, nem sempre as paredes divisórias isolam bem o ruído do quarto ao lado (é aconselhável usar protetores de ouvido). Mas tem boas ofertas no *site*, a equipe de atendimento é prestativa e serve bom café-da-manhã. € 85.

Clifden Guesthouse **32 Gardiner Place ⓣ01/874 6364, ⓦwww.clifdenhouse.com.** Uma das melhores opções do Northside, esta atraente casa georgiana é muito bem cuidada por anfitriões amistosos. São quinze agradáveis quartos com banheiro, com duplos além de um triplo e um quarto para família, bem decorados, à altura da origem georgiana. Estacionamento. € 110.

Comfort Inn **Great Denmark St ⓣ1850/266 3678, ⓦwww.comfortinndublin.com.** A fachada georgiana do Comfort esconde um hotel moderno. Os quartos são claros, arejados e decorados com gosto, e o bar The Belvedere é um ponto popular para encontros e reuniões. Oferece banda larga gratuita em todos os quartos, além de acesso para cadeira de rodas. Na baixa estação é possível obter boas acomodações com descontos bem generosos. € 89.

Marian Guest House **21 Gardiner St Upper ⓣ01/874 4129, ⓦwww.marianguesthouse.ie.** Muito popular pelos preços baixos e também pela recepção calorosa, esse *bed and breakfast* tem cinco confortáveis quartos duplos com banheiro, e um, mais econômico, com banheiro no corredor. O café-da-manhã é farto e ótimo. Tem estacionamento e os ônibus 16 e 41 param virando a esquina na Dorset Street Upper. € 75.

Da Capel Street a Collins Barracks

Comfort Inn Smithfield **Village ⓣ01/485 0900, ⓦwww.comfortinnsmithfield.com.** Novidade na área de Smithfield, este hotel recém-construído tem quartos bem equipados e mobiliados, decorados com bom gosto em cores primárias. O restaurante oferece preço adequado, estacionamento próximo seguro, e está localizado estrategicamente para os que se interessam pelos eventos musicais do **The Cobblestone** (pág. 153). € 109.

Phoenix Park

Ashling Hotel **Parkgate St ⓣ01/677 2324, ⓦwww.ashlinghotel.ie.** Com localização prática junto à Heuston Station, este hotel moderno e grande está longe de ser aconchegante, mas tem 150 quartos confortáveis com muito espaço, além de um bar agradável e um excelente café-da-manhã. € 150.

Albergues e acomodações para estudantes

Dublin tem muitos albergues, e a maioria deles oferece camas em dormitórios (€ 15-25, dependendo da estação) e quartos privados, em geral para duas a quatro pessoas (€ 25-45 por pessoa), além de um café-da-manhã leve incluído no preço. Os quartos privados têm banheiro e o padrão costuma ser equivalente ao de um *bed and breakfast*. A maioria dos albergues de Dublin é da IHH (Independent Holiday Hostels of Ireland ⓦwww.hostels-ireland .com), embora uns poucos sejam da IHO (Independent Hostel Owners ⓦwww.independenthostelsireland.com). Várias instituições educacionais de Dublin abrem seus alojamentos de estudantes a visitantes nas férias de verão. Os preços em geral são mais altos que nos albergues (€ 45-70 por pessoa), mas mais baratos que os de hotéis em localização central similar.

A maioria dos albergues tem acesso grátis à internet.

Trinity College, Grafton Street e arredores

Ashfield House 19-20 D'Olier St T01/679 7734, ⓦwww.ashfieldhouse.ie. Uma das opções mais populares do centro, com 130 camas em quartos espaçosos, com banheiro. A maioria dos quartos é para quatro ou seis camas –e há também bons duplos, cozinha e acesso à internet. Dormitórios a partir de € 16, duplos € 80.

Trinity College College Green ⓣ01/608 1177, ⓦwww.tcd.ie/accommodation/visitors/. O College abre seus 800 quartos residenciais para visitantes de meados-jun a fim de set. Não é a opção mais barata, mas trata-se de um local histórico, imperdível. Os quartos simples, para dois e para quatro (com banheiro ou sem) têm acesso à cozinha comum, e o campus tem restaurante, bar e quadras esportivas. € 57,60-69,60 por pessoa.

De St Stephen's Green ao Grand Canal

Mercer Court Campus Accommodation Mercer Street Lower ⓣ01/474 4120, ⓦwww.mercercourt.ie. Aberto do final de junho ao final de setembro nas férias do Royal College of Surgeons, e junto a St Stephen's Green, o Mercer Court tem 100 dormitórios com banheiro, todos com TV, e o café-da-manhã está incluído. € 90.

Temple Bar

Barnacles Temple Bar House 19 Temple Lane ⓣ01/671 6277, ⓦwww .barnacles.ie. O lobby deste albergue moderno lembra uma agência de correios, mas não desanime: os quartos têm banheiro e as instalações oferecem o essencial, com uma cozinha espaçosa e sala de jantar. Dormitórios a partir de € 18,50, duplos € 80.

Oliver St John Gogarty's 18–21 Anglesea St ⓣ01/671 1822, ⓦwww.gogartys.ie. Evite nos fins de semana, quando há despedidas de solteiro, mas é um albergue bem equipado, e tem mais de 100 camas em acomodações variadas, incluindo quartos de casal com banheiro ou sem, quartos para oito e dez camas, e apartamentos para uma a três pessoas. Tem cozinha e lavanderia. Dormitórios € 20, duplos € 80, apartamentos € 135-300.

Dublin Castle e arredores

Avalon House 55 Aungier St ⓣ01/475 0001, ⓦwww.avalon-house.ie. Cinco minutos a pé da South Great George's Street, este albergue fica numa antiga escola de medicina e tem dormitórios de vários tamanhos e quartos com duas camas. É grande (281 camas no total) e tem um café, cozinha, acesso à internet, salas de TV e de jogos. Dormitórios € 20, duplos € 60.

Kinlay House 2–12 Lord Edward St ⓣ01/679 6644, ⓦwww.kinlayhouse .ie. Albergue agitado perto da Christ Church Cathedral, oferece quartos privados com preço adequado, e dormitórios com seis e 24 camas. Tem uma ampla cozinha e um café, e os residentes têm desconto em refeições de bar no vizinho restaurante Darkey Kelly. Dormitórios € 19, duplos € 68.

The Liberties e Kilmainham

Brewery Hostel 22–23 Thomas St ⓣ01/453 8600, ⓦwww.irish-hostel .com. A localização pouco feliz deste albergue IHO na rua principal de The Liberties (ver mapa pág. 124) é atenuada por sua acolhida amistosa e ótimo ambiente. Mais para albergue do campo do que seus primos do centro, tem a maioria de suas 70 camas em quartos pequenos, além de quatro quartos privados. Oferece um grande lounge, cozinha bem equipada e chuveiros, além de um pátio para convivência ao ar livre. Dormitórios € 18, duplos € 75.

Arredores da O'Connell Street

Abbey Court 29 Bachelors Walk ⓣ01/878 0800, ⓦwww.abbey-court.com. Junto à O'Connell Bridge, este albergue de primeira tem quartos duplos com banheiro e dormitórios com quatro a doze camas. Seguro, tem acesso por cartão e armários com chave em todos os quartos. Tem ainda café, cozinha, lavanderia, salas de TV, viveiro e área para churrasco. Dormitórios € 22, duplos € 88.

Abraham House 82–83 Gardiner St Lower ⓣ01/855 0600, ⓦwww.abraham-house.ie Um dos maiores albergues de Northside, com equipe e ambiente amigáveis. Tem quartos com banheiro, dormitórios para quatro a dezesseis pessoas, cozinha, armários com chave, acesso à internet e estacionamento. O ponto do ônibus 41 que serve o aeroporto fica perto. Dormitórios € 21, duplos € 92.

Globetrotters 46 Gardiner St Lower ⓣ01/873 5893, ⓦwww.globetrotters-dublin.com. Com a mesma administração do Townhouse (pág. 193), oferece 94 camas em quartos com banheiro para seis a doze pessoas, com alguns dos mais confortáveis beliches de Dublin, e uma cozinha bem equipada. Dormitórios € 24.

Isaacs Hostel 2–5 Frenchman's Lane ⓣ01/855 6125, ⓦwww.isaacs.ie. Albergue independente mais antigo de Dublin, com administração eficiente e muito acolhedor, ainda é uma das melhores opções. A maioria dos quartos tem oito e dez camas, com alguns quartos de duas camas muito acolhedores, embora sem banheiro. Tem uma cozinha de alta qualidade, café, um pequeno jardim com churrasqueira, acesso à internet e música ao vivo às sextas. Dormitórios € 16, duas camas € 72.

Jacobs Inn 21–28 Talbot Place ⓣ01/855 5660, ⓦwww.isaacs.ie. Recém-reformado, é o maior albergue independente de Dublin e, mesmo assim, um dos mais acolhedores, com café no térreo e sala comum no primeiro andar com mesa de sinuca e TV. Os quartos privados com banheiro são grandes e bem mobiliados, e os quartos com doze camas têm banheiro. Tem internet e acesso para cadeiras de rodas. Dormitórios a partir de € 17, duplos € 90.

Litton Lane Hostel 2–4 Litton Lane ⓣ01/872 8389, ⓦwww.irish-hostel.com. Alojado num antigo estúdio de gravação, numa calma travessa da Bachelors Walk, este albergue popular oferece quartos de oito e dez camas, além de confortáveis quartos privados e alguns apartamentos compactos para duas a quatro pessoas. Tem uma cozinha ampla e uma mesa de sinuca. Dormitórios € 19, duplos € 78, apartamentos € 90-120.

Ao norte da Parnell Square

Dublin International Youth Hostel Mountjoy St ⓣ01/830 1766, ⓦwww.anoige.ie. Imenso, com 293 camas, numa área meio feia do Northside, a oeste da Black Church e da Dorset Street Upper, este âncora do An Óige é mais caseiro do que seu exterior sugere. A maior parte das camas fica em amplos dormitórios, mas há quartos para duas e quatro pessoas. Cobra-se € 2 a mais para quem não é membro da An Óige ou da International Youth Hostelling Association. Tem restaurante com preço razoável. Dormitórios € 21, duplos € 52.

Dicas de viagem

Chegada

Não importa como você chegue à cidade, a eficiente rede de transportes de Dublin vai levá-lo ao centro rapidamente, embora nos horários de pico os trajetos do aeroporto e da estação de trem possam demorar mais.

De avião

O Aeroporto (Ⓣ01/874 1111, Ⓦwww.dublinairport.com) fica 12 quilômetros ao norte do centro. As alas de desembarque têm escritório de turismo (diariam 8–22h), balcão de informações (seg-sáb 8–13h e 14–17h, dom 10h30–13h e 14–16h30), uma agência do Banco da Irlanda (seg-sex 10–16h, qua até 17h), outra agência de câmbio (diariam 17h30–21h, seg até 20h), além de diversos caixas automáticos e um bom número de agências de aluguel de carros.

Os ônibus do aeroporto para o centro partem da saída do desembarque. Os mais diretos são o **Airlink** 747 (a cada 10-15min seg-sáb 5h45-22h30, a cada 15-20 min dom 7h15-22h30; € 6 ida, € 10 volta), que vai pela O'Connell Street até Busáras, o terminal rodoviário; e o 748 (a cada 30min seg-sáb 6h50-21h30, dom 7–22h05; mesmo preço), que faz um trajeto similar mas vai até a estação de trem Heuston. Como alternativa, há ainda duas linhas do **Aircoach** (Ⓦwww.aircoach.ie) –a primeira vai até o centro via College Green e segue até os hotéis em Donnybrook e Ballsbridge (diariam a cada 10-20min 4h30–24h, a cada hora 24–4h30; € 7 ida, € 12 volta); a segunda também segue até o centro e Donnybrook antes de continuar até Stillorgan e Leopardstown (diariam a cada 10-20min 4–24h, a cada hora 24–4h; mesmos preços).

A opção mais barata, e também a mais lenta (€ 1.90), é pegar uma das linhas da **Dublin Bus** –como a 16A até O'Connell Street e College Green (a cada 15-30min seg-sex 6h50-23h10, a cada 20-50min sáb 7h40-22h20, a cada 25min-1h dom 8h30–22h40) ou a 41 até Abbey Street Lower, junto à O'Connell Street (a cada 15-30min seg-sáb 6h20-23h50, a cada 30min-1hr dom 7h15-23h35). Além dessas, a 746 (a cada 30min-1hr 15min seg-sex 9h15-21h45, a cada hora sáb 9h45-21h45 e com 10–19h) segue até o centro e continua depois até Dún Laoghaire.

Se preferir mais conforto, o **táxi** para o centro sai por € 30.

De ônibus

Busáras, o terminal rodoviário de Dublin, fica na Store Street atrás da Custom House, dez minutos a pé a leste da O'Connell Street. O terminal atende aos ônibus expressos da Bus Éireann de todas as partes da Irlanda (Norte e Sul), assim como as linhas do Airlink e ainda os ônibus que vêm do Reino Unido. Os ônibus urbanos entram no centro pela Talbot Street, uma quadra ao norte, e há paradas da LUAS Red Line (pág. 200) junto à saída norte da estação de ônibus ou para oeste na Abbey Street Lower. Você pode também pegar um táxi em Beresford Place, ao sul de Busáras.

Ônibus particulares param em vários locais –cheque detalhes com a operadora do serviço.

De barco

Todas as linhas –exceto a HSS da Stena Line (ver abaixo)– chegam ao **Dublin Port**, 3 km a leste do centro. Uma linha sem número da Dublin Bus (€ 2.50) atende aos desembarques e vai direto até Busáras. A linha de volta sai de Busáras diariamente às 6h45 (dom 7h), 7h30, 13h15 e 20h. Os barcos HSS da Stena Line chegam a **Dún Laoghaire**, 12 km a sudeste do centro. A estação DART (pág.199) fica bem em frente do terminal e os trens (€ 2) saem a cada 20 minutos para o centro (incluindo as estações centrais Pearse, Tara Street e Connolly). Como alternativa, você pode pegar o ônibus 46A (seg-sáb a cada 5-15min, dom a cada 10-40min; € 1,90) que vai da entrada da estação na Crofton Road via Donnybrook até St Stephen's Green e O'Connell Street. O terminal de barcos Dún Laoghaire tem um escritório de turismo (seg-sáb 10–13h, 14–18h).

De trem

Trens de Belfast, Sligo, Wexford e Rosslare vêm para a **Connolly Station** na Amiens Street, 15 minutos a pé a leste da O'Connell Street via Talbot Street e ligada ao centro por ônibus regulares e bondes da LUAS. A estação também serve a linha DART. A **Heuston Station**, na margem sul do Liffey, 3 km a oeste do centro, recebe trens de Ballina, Cork, Galway, Kilkenny, Killarney, Limerick, Tralee, Waterford e Westport. A Heuston é ligada ao centro pelos bondes LUAS e pelos ônibus 90 e 92. Duas outras estações do Southside, **Tara Street** e **Pearse** atendem as linhas DART e de subúrbios. Para obter informações sobre horários de trens, ligue para ⓣ01/836 6222, ou busque no *site* ⓦwww.irishrail.ie.

De carro

Quase todas as estradas que entram em Dublin são ligadas pela M50, um anel em volta dos seus subúrbios. A M1/N1 (de Belfast e Drogheda), a N2 (Derry e Monaghan) e a N3 (Cavan) convergem na Dorset Street, ao norte da Parnell Square e da O'Connell Street. A N4 (de Sligo, que se liga à N6 em Athlone) passa pela Heuston Station e depois pelos Northside Quays do Liffey. A N7 (do sudoeste, que se liga à N9 em Waterford) corre junto à Crumin Road, e entra no centro pela Patrick Street e Christchurch. Por fim, a N11 (do sudeste, e que se liga com a N21 em Dún Laoghaire) corta a Ballsbridge e vai até a Merrion Square.

Transporte urbano

É muito fácil circular pela cidade, graças a um amplo sistema de ônibus, bondes e trens, além dos muitos táxis.

Ônibus

A **Dublin Bus** (ⓦwww.dublinbus.ie) opera uma rede de trajetos que cobre quase toda a cidade e ultrapassa seus limites, seguindo até o condado de Dublin, e também aos de Kildare, Meath e Wicklow. Na maioria dos pontos de ônibus há mapas do trajeto. Um guia gratuito com horários e um mapa excelente pode ser obtido no escritório da Dublin Bus na O'Connell St Upper, 59 (seg 8h30–17h30, ter-sex 9–17h30, sáb 9–14h, dom 9h30–14h). Para detalhes de viagem ligue ⓣ01/873 4222. Se o seu celular tem conexão com uma operadora irlandesa você também pode mandar **mensagem de texto** para ⓣ53503 – digite "BUS" seguido do número da linha ("BUS46A") e receberá detalhes sobre os três próximos ônibus em ambos os sentidos. Ou especifique diferentes horários usando o relógio de 24 horas (por exemplo "BUS19 2100" ou "BUS15 0830 AMANHÃ").

As **tarifas** são apenas para dinheiro trocado e os bilhetes vão de € 1 para trajetos curtos a € 1,90 para o mais longo (crianças, € 0,70-0,90), mas há uma tarifa menor de € 0,60 para trajetos mais curtos dentro do perímetro do centro. Se você não tiver dinheiro trocado e pagar a mais, receberá em troca um *voucher* do motorista; apresente-o junto com o bilhete na agência da Dublin Bus (ver ao lado) para ter o reembolso.

A maioria das linhas opera entre 6h30–23h30 em dias de semana, mas começa mais tarde e termina mais cedo aos domingos. Ônibus especiais **Nitelink** circulam de madrugada (ter-sex 0h30–2h; sáb e dom 0h30–4h30; a cada 30 minutos. Eles saem de College Street, D'Olier Street e Westmoreland Street, e têm o sufixo"N" (exemplo, 46N). Os bilhetes custam € 4 para os trajetos mais curtos e de € 6 para os mais longos, até locais como Ashbourne e Maynooth.

LUAS

Introduzido em 2004, o LUAS (que significa "velocidade" em irlandês; ⓦwww.luas.ie) opera dois trajetos de **bondes** (há outros subterrâneos), mais rápidos que os ônibus e sem congestionamento. A Red Line vai da Connolly Station pela Abbey Street até Collins Barracks, antes de cruzar o rio na Heuston Station e seguir adiante para sudoeste até o subúrbio de Tallaght; a Green Line parte de St Stephen's Green,

Passes

Há muitos tipos de **passes** à venda no escritório da Dublin Bus (pág.199), em bancas e outros locais com a placa da Dublin Bus, e nas estações de DART e de trem de subúrbios. Passes **Rambler** só para ônibus são aceitos em todos os trajetos, exceto no Airlink e no Nitelink, e valem por um dia (€ 5), três (€ 11), cinco (€ 17,30) e sete (€ 21). Há ainda o "Rambler Handy Pack" (€ 18,30) de cinco passes de um dia, útil se você não pretende usar ônibus todo dia, e o "Family One-day Rambler" (€ 8,50) para dois adultos e até quatro crianças.

O bilhete **Freedom** de três dias (€ 25) inclui o trajeto para e do aeroporto na linha Airlink (é ideal comprá-lo no balcão de informações do aeroporto), todas as linhas de Dublin (incluindo o Nitelink) e o city tour da empresa que você pode tomar e saltar de qualquer lugar (pág. 200).

Passes de um dia para a linha **LUAS** (pág.199) custam € 4,80 e um passe de sete dias sai por € 17,20 nas máquinas da estação, mas são mais baratos (€ 4,50 e € 15,50) nas lojas que têm a placa LUAS (em geral perto das estações). O combinado ônibus e LUAS de um dia custa € 6,50 e o passe de sete dias, € 25 (sem desconto mesmo nos agentes LUAS).

O preço da maioria dos passes de trem **DART**/suburbanos depende dos pontos de início e fim da viagem. O passe de três dias custa de € 7,40 a € 14,20 e o de sete dias de € 15,30 a € 26. Para transitar mais pela rede, o passe de um dia custa € 7,20 e o familiar para um dia € 12,40, enquanto o passe para adultos por três dias fica em € 15,30. Um passe de um dia combinado ônibus/DART/trem subúrbios custa € 8,80, e o de três dias sobe para € 17,30 e o de sete para € 30, e o passe familiar de um dia para essas linhas custa € 13,50. Um passe de um dia para LUAS e trem custa € 8,20 (não há passe familiar para esta combinação). Todos esses passes só valem para zona de trajetos curtos (a rede inteira DART e os trens de subúrbio até Balbriggan ao norte, Maynooth e Celbridge a oeste e Kilcoole ao sul).

segue pela Harcourt Street e vai até os subúrbios a sudeste de Dundrum e Sandyford. Os bondes saem a cada 5-15 minutos (seg-sex 5h30–0h30, sáb 6h30–0h30, dom 7–23h30); a ida custa € 1,40–2,10 e a volta € 2,70-4 (crianças € 1 e € 1,90). Para comprar os bilhetes do LUAS, procure as máquinas que estão em todas as paradas.

DART e trens suburbanos

Os trens do Dublin Area Rapid Transit ou **DART** (seg-sáb 6h20-24h, dom 9h20-23h40; Ⓦwww.iarnrodeireann.ie/dart/home) ligam Howth e Malahide, ao norte, a Bray e Greystones, ao sul, e passam por Blackrock, Dún Laoghaire e Dalkey. Com certeza, pegar um desses trens é a opção mais rápida para visitar algumas das principais atrações de Dublin ver Passeios de um dia, pág. 173). As idas custam €1,20-3,70 e as voltas € 2,05-6,90 (crianças € 0,75-1,60 e € 1,30-2,90), mas comprar um passe de viagem sai mais barato (ver acima). O **serviço de trens de subúrbio** operado pela Iarnród Éireann (Ⓦwww.iarnrodeireann.ie/home) usam os trilhos da DART, e param em menos estações (Connolly, Tara Street e Pearse no centro, a nova Docklands station a leste do centro, Dún Laoghaire e Bray ao sul, e Howth Junction ao norte). A linha Northern Commuter da Pearse Station via Tara Street e Connolly é a maneira mais rápida de fazer passeios de um dia a Malahide e Drogheda para ver Brú na Boinne.

Táxis

Os **táxis** de Dublin variam bastante em forma e tamanho, há desde táxis pretos no estilo londrino até vans, e todos são identificados por uma luz no teto com o número da licença do taxista. Você pode pegar o táxi na rua, mas é mais fácil num ponto, como no canto noroeste de St Stephen's Green, perto do Bank of Ireland em College Green, no Westin Hotel na Westmoreland Street, em frente ao Gresham Hotel na O'Connell Street, ou no lado oeste da Parnell Street.

É difícil achar táxi depois das 23h numa noite agitada, como num fim de semana no centro, mas você pode e deve reservar antes. Por outro lado, se estiver fazendo o percurso inverso –voltando dos subúrbios para o centro–, fica mais fácil pegar um táxi. A City Cabs (Ⓣ01/872 7272), a Satellite Taxis (Northside Ⓣ01/836 5555, Southside Ⓣ01/454 3333) e a Eurocabs (Ⓣ01/623 4100) são opções confiáveis. A Eurocabs também fornece carros com acesso a cadeirantes agendando uma hora antes.

Quanto a **tarifas**, uma corrida curta custa € 6-9, e uma corrida do centro até um dos subúrbios próximos, como Clontarf ou Ballsbridge, custa €10-13. Carros com taxímetro tendem a ser mais baratos que os de tarifa fechada e também mais rápidos já que têm permissão para andar na faixa de ônibus.

Estacionamento

Em Dublin os horários de pico são 7–10h e 16–19h nos dias de semana. Evite a qualquer hora trafegar em The Quays e Dame Street, pontos sempre congestionados. Para **estacionar**, uma boa opção no Southside são os vários andares do Royal College of Surgeons a oeste de St Stephen's Green. Quase sempre é muito difícil encontrar uma vaga na rua, a não ser em lugares como Merrion Square e Fitzwilliam Square. Estacionar no centro sai por € 2–3 a hora.

A não ser que você planeje usar a cidade como base para outros passeios, não vale a pena **alugar carro** em Dublin, mas se precisar, há lojas no aeroporto e no Dublin Tourism Centre, Suffolk Street. Por uma semana você paga € 200–300, dependendo do carro e do seguro, mas pode conseguir um desconto maior agendando antes pela internet.

Passeios

De passeios em ônibus abertos a cruzeiros pelo rio, além de roteiros literários, há muitos jeitos de apreciar as principais atrações de Dublin.

City-tour de ônibus

Uma boa opção quando o tempo é curto é o **passeio em ônibus aberto**, do qual você sobe ou desce onde preferir. Os comentários sobre a cidade são feitos pelo motorista (alguns até cantam canções na hora oportuna), por um guia a bordo ou por gravação.

Os passeios têm quase o mesmo **trajeto**: Parnell Square, Trinity College, St Stephen's Green, Dublin Castle, catedrais, Guinness Storehouse, Irish Museum of Modern Art (ou Kilmainham Gaol), Phoenix Park e Collins Barracks. Dura 1h15, conforme o trânsito, e o bilhete vale por 24 horas a partir da primeira utilização. Os bilhetes dão desconto para as atrações da cidade.

A **Dublin Bus** (Ⓣ01/873 4222, Ⓦwww.dublinbus.ie) oferece todo dia o Dublin City Tour, que sai da Cathal Brugha St, junto à O'Connell St Upper (a cada 10min 9h30–15h, a cada 15min 15–17h e também abr-out a cada 30min 17–18h30). O bilhete custa € 14 e é vendido no escritório da Dublin Bus (pág. 199), pelo motorista e por alguns hotéis. A empresa também opera o Ghost Bus Tour (seg e qui 20h, sex 20h e 20h30, sáb 19h e 21h30; 2h15min; €25; inadequado para menores de 14 anos, que visita pontos sombrios da cidade.

A **Irish Tours** (Ⓣ01/605 7705 or 01/458 0054, Ⓦwww.irishcitytours.com) oferece o City Sightseeing Tour (diariam a cada 10-15min: abr-jun 9h15-17h, jul-set 9h15-17h30, out-mar 9h30–16h30; € 15). Bilhetes à venda com o motorista, nos escritórios de informação turística e em alguns hotéis. Os passeios saem da O'Connell St Upper, 14.

Por terra e pela água

O premiado passeio **Viking Splash** (64–65 Patrick St ☎01/707 6000, ⓦwww.vikingsplash.ie) usa veículos anfíbios da Segunda Guerra, os Ducks, e tem guias em trajes nórdicos que conduzem os visitantes a um animado passeio pelo centro, culminando numa viagem pela bacia do Grand Canal (diariamente: meados-fev a meados-mar e nov 10–16h; meados-mar a out 9h30–17h; 1h15; os passeios dependem da demanda –ligue antes para marcar). Os passeios saem da Bull Alley Street (perto da St Patrick's Cathedral) e também da St Stephen's Green North. Os bilhetes (€ 20) podem ser adquiridos no local ou por telefone.

Cruzeiros pelo rio

Uma viagem pelo rio Liffey é o que oferece a **Liffey River Cruises** (☎01/473 4082, ⓦwww.liffeyrivercruises.com). As partidas são do Bachelors Walk (diariam: mar-nov 11h, 12h, 13h45 e 14h45, também mar-out 16h e abr-set 17h), ou então você pode embarcar no Custom House Quay (mar-nov 11h35 e 14h20, também abr-set 16h35). O passeio de 45 minutos inclui comentários do guia e custa € 12.

Cruzeiros marítimos

Duas empresas oferecem passeios fantásticos de barco pela **baía de Dublin**, de 1h15 de duração, com vistas de ilhas como a Ireland's Eye e observações de focas, golfinhos e aves. A **Sea Safari** (☎01/855 7600, ⓦwww.seasafari.ie) opera dois cruzeiros em barcos infláveis abertos (fornece roupa a prova d'água e coletes salva-vida), que saem dos cais perto do IFSC no Custom House Quay, ou do porto Malahide. Custam € 30 e são para crianças maiores de oito anos. A **Dublin Sea Tours** (☎01/492 5919, ⓦwww.dublinseatours.ie) opera a partir da Poolbeg Marina, Seán Moore Rd, Ringsend, a leste da East Link Bridge (ônibus 2 ou 3 da O'Connell St) e do Dún Laoghaire Harbour East Pier. Os passeios são em barco coberto, aquecido (sem roupas especiais) e custam € 35; crianças são aceitas a bordo a partir dos 6 anos de idade.

Sempre reserve antes: embora haja até seis cruzeiros por dia na alta estação, eles dependem das condições do tempo.

Passeios a pé

A **Historical Insights** (☎087/688 9412 or ☎087/830 3523, ⓦwww.historical-insights.ie) oferece um passeio de duas horas a cargo de ex-alunos de história do

Passes turísticos

Disponível nos escritórios de informação turística ou em ⓦwww.dublinpass.com, o **Dublin Pass** dá acesso a mais de trinta atrações, a várias ofertas especias, e a uma viagem do aeroporto no Aircoach (pág. 199). Um passe de um dia custa € 31 e os de dois, três e seis dias, € 49, € 59 e € 89. Pode valer a pena comprar o **Heritage Card** (€ 21) do Heritage Service (☎01/647 2453, ⓦwww.heritageireland.ie), para entrada livre em atrações em toda a República, como o Casino at Marino, Kilmainham Gaol, Dublin Castle, Rathfarnham Castle, Phoenix Park Visitor Centre e, mais para o interior, Glendalough Visitor Centre, Castletown House e Brú na Boinne. Você pode comprá-los nos postos do Heritage Service e nos escritórios de turismo.

O livreto de € 5,99 Heritage Island (☎01/236 6890, ⓦwww.heritageisland.com) dá **descontos** em várias atrações por todo o país, como a Chimney Viewing Tower, a Christchurch Cathedral, o City Hall, o Dalkey Castle, Dublinia, o GAA Museum, o Guinness Storehouse, o James Joyce Centre, a Old Jameson Distillery e a St Patrick's Cathedral, além de Powerscourt e Russborough House no interior.

Um **bilhete combinado** cobrindo duas atrações quaisquer das cinco operadas pela Dublin Tourism (Dublin Writers Museum, Fry Model Railway, James Joyce Museum, Malahide Castle e Shaw Birthplace) custa € 12, com uma economia de € 2, e pode ser comprado em uma dessas atrações.

Trinity, que falam sobre o desenvolvimento de Dublin e os fatos principais de sua história. Os passeios (abr e out diariam 11h, mai-set diariam 11h e 15h; nov-mar sex-dom 11h; € 12) saem do portão frontal do Trinity College.
O passeio **1916 Rebellion** (Ⓣ086/858 3847, Ⓦwww.1916rising.com) cobre os eventos que levaram ao Levante da Páscoa, a própria rebelião e seus resultados. Custa € 12 e começa dentro do International Bar, Wicklow Street (nov a meados-mar sáb 11h30, dom 13h; meados-mar-out seg-sáb às 11h30, dom 13h; 2h).
Para os que preferem algo mais literário, o **Jameson Dublin Literary Pub Crawl** (Ⓣ01/670 5602, Ⓦwww.dublinpubcrawl.com) começa no andar de cima do The Duke na Duke Street e apresenta atores encenando trechos de grandes obras em vários *pubs* com tradição literária (abr-nov diariam 19h30, dom também às 12h; dez-mar qui-dom apenas, mesmo horário; 2h15; €12).
O **Traditional Irish Music Pub Crawl** (Ⓣ01/475 3313, Ⓦwww.discoverdublin.ie/musicalpubcrawl.html) faz dois músicos guiarem você num passeio por meia dúzia de *pubs*, cantando, tocando e contando a história musical da Irlanda. Passeios (abr-out diariam 19h30, nov-mar qui-sáb apenas, mesmo horário; 2h30; €12) início no Oliver St John Gogarty's, Fleet Street.

Informações

Escritórios de turismo

O Dublin Tourism Centre (seg-sáb 9–17h30, jul e ago até 20h, set até 19h, dom e feriados 10h30–15h; Ⓦwww.visitdublin.com) ocupa a antiga St Andrew's Church na Suffolk Street, logo a oeste da esquina da Grafton Street com Nassau Street.
O sistema funciona através de senha numerada, para informações e reserva de hospedagem (pág. 187) e há também guichês para câmbio, aluguel de carro e ingressos para eventos. Na parte externa há um terminal de informações com tela sensível ao toque que aceita reserva de hospedagem por cartão de crédito. Outros escritórios da Dublin Tourism ficam no aeroporto (pág. 197), no terminal de barcos de Dún Laoghaire (pág. 197), na O'Connell St Upper, 14 (seg-sáb 9–17h) e ainda na Baggott Street Bridge (seg-sex 9h30–12h e 12h30–17h).

Se você tem um iPod, pode baixar gratuitamente algum dos cerca de uma dezena de iWalks guiados, que oferecem vários passeios a pé e comentários a cargo do escritor e historiador local Pat Liddy (Ⓦwww.visitdublin.com/multimedia/dublinpodcasts).

Jornais e revistas de programação cultural

O peso-pesado **Irish Times** (€ 1,60), diário, e o **Evening Herald** (€ 1) são fontes úteis de informações; ambos trazem roteiros de cinema e teatro, e o último tem também um suplemento semanal, **The Ticket**, às sextas. A revista gratuita de programação mais completa é a quinzenal **Event Guide** (Ⓦwww.eventguide.ie); há outras, como a **Mongrel** (mensal; gratuita) que traz artigos sobre a cena local de artes, e a **Connected** (mensal; gratuita), com programação detalhada de música. Elas são distribuídas em bares, cafés, lojas de CD e shoppings. Também tem programação de música na revista quinzenal de rock e estilo **Hot Press** (€ 3,50), e a música tradicional é o assunto principal da revista mensal **Irish Music** (€ 2,95). Uma desvantagem dessas publicações é que não trazem o endereço dos locais listados, que você deverá consultar na lista telefônica do seu hotel ou perguntar a algum morador de Dublin que conheça o assunto.

A filial da Eason's na O'Connell Street Lower (pág.134) tem quase todas as revistas publicadas na Irlanda, além de todos os jornais irlandeses e britânicos.

Dublin na internet

O *site* da Dublin Tourism, ⓦwww.visitdublin.com, é um bom ponto de partida, particularmente para detalhes sobre atrações, eventos e também para reservar hospedagem. Se quiser ficar por dentro dos blogueiros locais, entre em ⓦdublin.metblogs.com.

ⓦwww.browseireland.com Um grande portal para a Irlanda com muitos links úteis sobre Dublin.

ⓦwww.ddda.ie Eventos e atividades na água e nas áreas das Docklands.

ⓦwww.dublin.ie Um portal da cidade com informações gerais, de eventos ao meio ambiente local.

ⓦwww.dublinpubscene.com *Site* com resenhas de *pubs* e detalhes sobre música ao vivo e shows de humor.

ⓦwww.entertainment.ie Toneladas de informações sobre os mais recentes shows, filmes e eventos.

ⓦwww.templebar.ie *Site* sobre tudo o que acontece nesta agitada área da cidade.

Entretenimento

Cinema

Os grandes cinemas são o Cineworld, 17 Parnell St ⓣ1520/880444, ⓦwww.cineworld.ie; Savoy, 17 O'Connell St ⓣ0818/776776, ⓦwww.savoy.ie; e o Screen, Townsend Street ⓣ01/672 5500, ⓦwww.screencinema.ie. Fãs de filmes independentes costumam frequentar o Irish Film Institute (pág. 98).

Para informações sobre o festival de cinema da cidade, ver pág. 204.

Música

O National Concert Hall (Earlsfort Terrace ⓣ01/417 0000, ⓦwww.nch.ie) é o maior local de Dublin para **música erudita**, e abriga concertos semanais da RTÉ, a Orquestra Sinfônica Nacional, residente, e de orquestras e solistas visitantes, além de jazz e música tradicional.

Outros locais que apresentam música erudita são o Bewley's Café Theatre (ⓣ086/878 4001; pág. 69); a Coach House, Dublin Castle (ⓣ01/671 9429); The Helix (pág. 172); The Hugh Lane Gallery (pág. 140); a National Gallery, Merrion Square West (pág. 81); o Project Arts Centre (pág. 98); a St Mary's Pro-Cathedral (pág. 133); e a St Patrick's Cathedral (pág. 113).

Também há muitos locais para os apreciadores de **música tradicional**, e não faltam palcos na cidade para shows ao vivo de **rock, pop e independentes**. As principais casas de espetáculo constam dos guias; o J.J. Smyth's (pág. 121) é o ponto de blues e jazz-fusion, The Cobblestone (pág. 153) tem música tradicional, o Temple Bar Music Centre (pág. 104) mostra bandas independentes, e o Crawdaddy (pág. 94), bandas de fora e independentes.

Teatro

Os teatros mais famosos são o Abbey (pág. 132) e o Gate (pág. 139). Há ainda o Gaiety Theatre, King Street South ⓣ01/677 1717, ⓦwww.gaietytheatre.net; o The Helix (pág. 172); o Olympia Theatre (pág. 104); o Pavilion Theatre, Marine Road, Dún Laoghaire ⓣ01/231 2929, ⓦwww.paviliontheatre.ie. E os alternativos Liberty Hall, Eden Quay ⓣ01/872 1122; o New Theatre, 43 Essex St East ⓣ01/670 3361, ⓦwww.thenewtheatre.com; Peacock Theatre (pág. 133); e SFX City Theatre, 23 Upper Sherrard St ⓣ01/855 4090, ⓦwww.sfx.ie.

Não deixe de visitar o notável Lambert Puppet Theatre (5 Clifton Lane, Monkstown ⓣ01/280 0974, ⓦwww.lambertpuppettheatre.com), que apresenta shows diários em mai e jun (ligue antes) e aos sáb e dom às 15h30 o ano todo, além do festival internacional de espetáculos de bonecos em setembro.

Sobre o festival de teatro da cidade, veja pág. 207.

Locais para esportes

Croke Park St Joseph's Ave ⓣ01/836 3222, ⓦwww.gaa.ie. O lar da Gaelic Athletic Association sedia partidas de *hurling*, futebol gaélico e outros eventos importantes (pág. 144), além de jogos internacionais de rúgbi e futebol, pelo menos enquanto o estádio Lansdowne Road está em reforma.

Donnybrook Stadium Donnybrook Rd, Donnybrook ⓣ01/269 3224, ⓦwww.leinsterrugby.ie. Rúgbi nos fins de semana, do time de Leinster contra os melhores times da Europa.

Shelbourne Park Greyhound Stadium South Lotts Rd, Ringsend ⓣ01/668 3502, ⓦwww.shelbournepark.com. Corridas de cães às qua, qui e sáb 20h (€ 10). Outra opção para o mesmo gênero é o Harold's Cross Stadium, na Harold's Cross Road (ⓣ01/497 1081), seg, ter e sex (mesmos horários e preços).

Corridas de cavalos

Há várias pistas de corrida na área de Dublin, e é fácil chegar até elas já que a Bus Éireann (ⓣ01/836 6111, ⓦwww.buseireann.ie) oferece linhas especiais nos dias de corrida, saindo de Busáras (pág. 199).

The Curragh A 50 km da capital, perto de Kildare ⓣ045/441205, ⓦwww.curragh.ie. Sede de clássicos como o Irish 2000 Guineas e o 1000 Guineas em maio, o Irish Derby em junho, o Irish Oaks em julho e o Irish St Leger em setembro. Os trens da Heuston Station param em The Curragh em dias de grandes corridas.

Fairyhouse Ratoath, a 24 km de Dublin –na R155, 3 km a leste da junção com a N3– ⓣ01/825 6167, ⓦwww.fairyhouseracecourse.ie., sedia o Irish Grand National na seg de Páscoa.

Leopardstown, no subúrbio sul de Foxrock ⓣ01/289 0500, ⓦwww.leopardstown.com. Tem corridas aos fins de semana várias vezes por ano e nas noites de qua em jun e jul, além dos quatro dias do Christmas Festival, com início no St Stephen's Day (26 de dez), e a Hennessy Cognac Gold Cup em fev. Pegue o LUAS para Sandyford e ande 15 min a pé.

Punchestown A 40 km de Dublin perto de Naas, County Kildare ⓣ045/897704, ⓦwww.punchestown.com. É a sede dos cinco dias do Irish National Hunt Festival em abril.

Festivais e eventos

Janeiro

Temple Bar Trad Festival ⓣ01/677 2397, ⓦwww.templebartrad.com. Quatro dias e noites de música tradicional em *pubs*, oficinas de instrumentos e outros locais, no coração da cidade.

Fevereiro

Jameson Dublin International Film Festival ⓣ01/672 8861, ⓦwww.dubliniff.com. Ocupa cinemas e outros locais do centro por dez dias, em meados de fevereiro. Embora focado no mais recente do cinema irlandês, o festival tem também uma boa programação internacional. São mais de cem filmes, entre mostras temáticas e retrospectivas.

RTÉ Living Music Festival ⓣ01/208 2617, ⓦwww.rte.ie/music. Três dias de concertos e eventos de música erudita contemporânea, com grandes nomes da Irlanda e do exterior, em meados de fevereiro.

Março/Abril

Levante da Páscoa Comemorações no domingo de Páscoa, incluindo muitos discursos e uma concorrida passeata do General Post Office até o Glasnevin Cemetery (pág. 167).

St Patrick's Festival ⓣ01/676 3205, ⓦwww.stpatricksfestival.ie. Cinco dias centrados no St Patrick's Day (17 de março), em que a cidade toda festeja, com desfiles, uma divertida feira, shows de luzes, concertos, filmes, exposições e o *céilí mór* (milhares de pessoas numa dança tradicional pelas ruas).

Poetry Now Festival ⓣ01/205 4873, ⓦwww.dircoco.ie/arts. Grande evento de três dias, no primeiro fim de semana de abril no The Pavilion Theatre,

Dún Laoghaire, com leituras de poetas de renome irlandeses e internacionais, aulas magnas, exposições e eventos dedicados às crianças.

Handel's Messiah Festival ⓣ01/677 2255, ⓦwww.templebar.ie. Festival de uma semana em meados de abril, celebrando a visita de Handel a Dublin em 1742, e que apresenta concertos gratuitos, oficinas e palestras em vários locais na área de Temple Bar e de Dublin Castle.

Maio

Heineken Green Energy ⓣ0818/719 300, ⓦwww.ticketmaster.ie. Eventos musicais ao ar livre junto a Dublin Castle no primeiro fim de semana de maio; já se apresentaram The White Stripes, Lou Reed, Faithless e Kasabian.

Bray Jazz Festival ⓣ01/287 3992, ⓦwww.brayjazz.com. Três dias de shows, com cantores e músicos internacionais em vários locais, no primeiro fim de semana de maio.

International Dublin Gay Theatre Festival ⓣ01/677 8511, ⓦwww.gaytheatre.ie. Três semanas de drama, comédia, cabaré e teatro musical –apresentados por elencos internacionais e irlandeses– em vários locais do centro, e um Festival Club após as peças no The Dragon (pág. 120).

Wicklow Gardens Festival ⓣ0404/20070, ⓦwww.visitwicklow.ie. Vários jardins particulares perto de Dublin abrem suas portas ao público entre maio e agosto.

Junho

Wicklow Gardens Festival ver maio.

Diversions Temple Bar ⓣ01/677 2255, ⓦwww.templebar.ie. Série de eventos gratuitos ao ar livre de junho a setembro centrados na Meeting House Square, incluindo filmes, shows de músicas, circo, atividades de diversão familiar e outros eventos.

Docklands Maritime Festival ⓣ01/818 3300, ⓦwww.ddda.ie. Grandes barcos recebem os visitantes em seus decks no primeiro fim de semana de junho no North Wall Quay, e depois há um mercado, teatro de rua, passeios pelo Liffey e vários eventos para crianças.

Dublin Writers Festival ⓣ01/222 7848, ⓦwww.dublinwritersfestival.com. Grandes escritores e poetas irlandeses e internacionais participam de cinco dias de palestras, discussões e outros eventos no centro, em meados-jun.

Bloomsday ⓣ01/878 8547, ⓦwww.jamesjoyce.ie. Uma semana de eventos em meados-jun, culminando com o Bloomsday (16 de junho), dia em que é ambientado o *Ulisses* de Joyce.

Julho

Wicklow Gardens Fesival ver maio.

Diversions Temple Bar ver junho.

Howth Peninsula Fesival ⓦwww.howthpeninsula.com. Uma série de eventos divertidos, desde competições de cabo-de-guerra a uma feira de diversões, mostras artísticas e música, na área do porto e em outros locais em volta da península, no primeiro fim de semana de julho.

Agosto

Wicklow Gardens Festival ver maio.

Diversions Temple Bar ver junho.

GAZE – Festival Internacional de Cinema Gay de Dublin ⓦwww .gaze.ie. Realizado no Irish Film Institute (pág. 98) por quatro dias no início de agosto, com uma sólida programação de novas obras e documentários.

Dublin Horse Show ⓣ1850/882883, ⓦwww.dublinhorseshow.com. Cinco dias de eventos equestres no início de agosto na arena do RDS em Ballsbridge, com grandes saltadores internacionais na Nations Cup.

Dún Laoghaire Festival de Culturas ⓣ01/230 1035, ⓦwww.festivalofworld-cultures.com. No último fim de semana de agosto, 150 eventos (a maioria gratuitos) acontecem em quarenta diferentes locais da cidade, com atrações internacionais e shows ao ar livre.

Setembro

Diversions Temple Bar ver junho.

Finais irlandesas de hurling sênior e futebol gaélico Dois grandes eventos esportivos da Irlanda acontecem no Croke Park (página ao lado) em setembro: a final do *hurling* é sempre no segundo domingo e a final do futebol, no quarto domingo do mês.

Dublin Fringe Festival ⓣ01/677 8511, ⓦwww.fringefest.com. O maior festival de artes cênicas que se desenrola durante mais de duas semanas em meados-set, apresentando espetáculos de música, dança, teatro de rua, comédia, além de eventos para crianças.

Festival de Bonecos
O Lambert Puppet Theatre (pág. 205) atrai

Feriados

Ano-Novo; St Patrick's Day (17 de março); Sexta-feira Santa, Domingo de Páscoa; primeira seg de maio, junho e agosto; última seg de outubro; Natal; St Stephen's Day (26 de dezembro). Quase todas as atrações ficam fechadas na Sexta-feira Santa e da véspera de Natal até o St Stephen's Day.

bonequeiros internacionais para o seu festival, que dura duas semanas em meados de setembro.
Dublin Theatre Festival ⓣ01/677 8899, ⓦwww.dublintheatrefestival.com. Um grande evento de teatro, realizado nos últimos dias de setembro e nas duas primeiras semanas de outubro, apresentando peças clássicas e novas em vários locais do centro.

Outubro
Dublin Theatre Festival ver setembro.
Oscar Wilde Autumn School ⓣ01/286 5245. Seis dias em Bray (pág. 173) dedicados ao dramaturgo, romancista e homem de letras, centrados no dia de nascimento de Wilde (16 de out), com shows, palestras, leituras, passeios e eventos musicais, incluindo atividades para crianças. Em geral os eventos se concentram no Mermaid Theatre.
Maratona de Dublin ⓣ01/623 2250, ⓦwww.dublincitymarathon.ie. Com 10 mil participantes, a corrida é realizada no último domingo de outubro, num trajeto circular que sai da Kildare Street, cruza o Liffey e engloba o Phoenix Park e a bacia do Grand Canal, terminando na Merrion Square West.

Endereços

Achados e perdidos
Dublin Bus ⓣ01/703 1321;
Bus Éireann ⓣ01/836 6111;
Connolly Station ⓣ01/703 2362;
Heuston Station ⓣ01/703 2102;
Aeroporto ⓣ01/814 5555.
ATMs Quase todos os bancos têm terminais que aceitam cartões de crédito Maestro ou Visa.
Bancos e câmbio A maioria dos bancos abre seg-sex 10–16h, qui até 17h. A maioria das agências desconta *travellers' cheques* e também há guichês de câmbio no aeroporto, na Thomas Cook, da Grafton St, 118 (seg-sáb 9–17h30, qui até 20h), e no Dublin Tourism Centre, Suffolk Street (Mon–Sat 9am–5pm).
Banheiros Há relativamente poucos banheiros públicos, mas você pode encontrá-los em shoppings e em algumas grandes lojas de departamentos. Na porta dos banheiros é provável que você veja escritas as palavras irlandesas *fir* (homens) e *mná* (mulheres).
Compras sem impostos Visitantes que não pertencem à União Européia podem solicitar reembolso do imposto VAT sobre todos os bens adquiridos na Irlanda, desde que tais bens saiam do país num prazo de três meses a partir da compra. Os varejistas que participam desse esquema indicam isso por meio de um adesivo; mais informações pelo site ⓦwww.globalrefund.ie.
Correios O maior é o General Post Office na O'Connell Street Lower (seg-sáb 8–20h, ⓣ01/705 7000). Há também agências centrais na St Andrew's St (junto ao Suffolk St Tourism Centre), no Ormond Quay Upper e na Clare St. Para informações ligue ⓣ1850/575 589. Muitas bancas de jornais vendem selos.
Deficientes físicos Tanto a agência do governo Citizens Information Board (7th Floor, Hume House, Dublin 4 ⓣ01/605 9000, ⓦwww.citizensinformationboard.ie), como a Dublin Tourism (pág. 202) orientam pessoas com necessidades especiais em visita à Irlanda. O guia anual de hospeda-

gem desta última (disponível em todos os escritórios) indica os estabelecimentos da cidade com acesso a cadeira de rodas. A Irish Wheelchair Association, Áras Chúchulain, Blackheath Drive, Clontarf, Dublin 3 (☎01/818 6400, ⓦwww.iwa.ie) também orienta sobre o assunto, e seu *site* dá endereços de empresas que alugam cadeiras de rodas. Em relação aos transportes públicos, a Dublin Bus (ver pág. 200 e ⓦwww.dublinbus.ie/your_journey/accessibility.asp) opera ônibus de piso baixo, com total acesso em quase 70 linhas e em alguns de seus passeios. Notificando com antecedência, a Iarnród Éireann (☎01/836 6222, ⓦwww.iarnrodeireann.ie/your_journey/disabled_access.asp) coloca pessoal para assisti-lo em sua viagem de DART ou trem. Para informações sobre táxis, ver pág. 201.

Eletricidade O padrão é 220 volts e plugues de três pinos. Os aparelhos de outra voltagem e plugs de dois pinos vão precisar de transformador e adaptador (encontrados à venda em lojas de material elétrico e no aeroporto).

Embaixada Embaixada do Brasil, HSBC House, 5th floor, 41-54, Harcourt Street, Dublin 2, Ireland. ☎01/475 6000/ ☎01/ 475 1341 e-mail: info@brazil.ie; e-mail (Seção consular): consular@brazil-ie.org. A embaixada abre para o público de segunda a sexta entre 10h e 13h, exceto nos feriados irlandeses e em alguns feriados brasileiros. Atendimento telefônico de 14h30–17h30. Também há um número de emergência que pode ser contatado fora do expediente normal ☎01/ 981 4403. Se o telefone não responder, deixe seu nome e número na secretária eletrônica para ser contatado o mais rápido possível.

Emergências Digite ☎112 ou ☎999 para atendimento médico de emergência, bombeiros ou polícia.

Farmácias No centro, há filiais da eficiente Hickey's na O'Connell St Lower, 55 (seg-qua 7h30–22h, qui e sex 9–21h, sáb 8–22h, dom 10–22h; ☎01/873 0427) e Westmoreland St, 17 (seg-qua 8h30–19h, qui e sex 8h30–20h, sáb 8h30–18h30; ☎01/677 8440).

Fumar É proibido fumar em qualquer recinto fechado na República da Irlanda, incluindo bares e *pubs*, clubes, cafés e restaurantes. Mas muitos estabelecimentos têm espaços ao ar livre para fumantes.

Gays e lésbicas A GCN (Gay Community News; ⓦwww.gcn.ie) é uma revista gratuita mensal com programação de eventos –você encontra exemplares dela em locais gay ou na Books Upstairs (pág. 70). A Outhouse, 105 Capel St (☎01/873 4932, ⓦwww.outhouse.ie) é um centro de apoio para gays e lésbicas com um café (seg-sex 13h30–17h30, sáb 13–17h, também ter 18h30–21h30 e qui 19–22h –só para mulheres, e sex 19–22h – só para homens) e uma pequena biblioteca. O Gay Switchboard (seg-sex 19h30–21h30, sáb 15h30–18h; ☎01/872 1055, ⓦwww.gayswitchboard.ie) dá orientação e informações. Entre os *sites* úteis estão ⓦwww.queerid.com para eventos e notícias, e ⓦwww.gaire.com para informações, quadro de avisos e *chat online*.

Gorjetas É usual deixar uma gorjeta pelo serviço em restaurantes de 10-15 por cento. O mesmo vale para os táxis. Um número crescente de restaurantes e hotéis acrescenta como praxe uma taxa de serviço à conta.

Guarda-volumes Há armários de bagagem no terminal Busáras (no subsolo da estação; € 6–10) e na junção entre Connolly Station (€ 4–6) e Heuston Station (€ 1.50–5); cobra-se por item, por noite, e o preço varia conforme o tamanho do armário.

Hora A Irlanda, como o Reino Unido, segue o horário de Greenwich e adota um esquema similar ao horário brasileiro de verão para poupar energia, avançando os relógios uma hora em março e atrasando-os no final de outubro.

Horários Detalhes sobre horários de restaurantes, cafés e lojas, pág. 6.

Hospitais Os hospitais com pronto-socorro são: Beaumont Hospital, Beaumont Rd (☎01/809 3000); Mater Misericordiae,

Voe menos – Fique mais tempo!

A equipe dos Rough Guides sabe o bem que uma viagem faz, mas está consciente do impacto das emissões de combustível sobre as mudanças climáticas. Por isso, acha recomendável viajar menos e aumentar a estadia. Se você puder evitar a viagem aérea, use as opções alternativas, especialmente para distâncias inferiores a 1.000 quilômetros. Para compensar a emissão de carbono das suas viagens, visite o site www.roughguides.com/climatechange.

Eccles St (℡01/803 2000); St James's, James St (℡01/410 3000); e St Vincent's, Elm Park (℡01/269 4533). Emergências dentárias: Dublin Dental School and Hospital, Lincoln Place ℡01/612 7200.

Internet No centro, há os seguintes cafés internet: Central Cyber Café, 6 Grafton St; Global Internet Café, 8 O'Connell St Lower; Internet Exchange, 3 Cecilia St, Temple Bar; e o Oz Cyber Café, 39 Abbey Street Upper. O acesso custa € 1–3 por hora.

Piscinas Markievicz Leisure Centre, Townsend St ℡01/672 9121, Ⓦwww.dublincity.ie.

Polícia O principal posto policial (Garda Síochána) fica no Harcourt Terrace (℡01/666 9500). O Irish Tourist Assistance Service (℡01/478 5295, Ⓦwww.itas.ie) oferece apoio a turistas vítimas de crimes.

Telefones Há muitos telefones públicos e as ligações locais custam a partir de € 0,50. A maioria dos telefones aceita cartões pré-pagos que você compra nos correios ou bancas de jornais. Os celulares do Reino Unido em geral passam automaticamente para uma rede de telefonia irlandesa na chegada (mas é bom checar os custos das ligações com a sua rede). Para obter auxílio de uma operadora, inclusive para chamadas a cobrar, digite ℡10 para Irlanda e Reino Unido e ℡114 para o resto do mundo. Para consultas à lista telefônica digite ℡11811 para a Irlanda e ℡11818 para outras localidades.

Cronologia

Cronologia

c.150 D.C. ▸ O mapa do mundo do cartógrafo grego Ptolomeu mostra um lugar chamado Eblana, onde fica a atual Dublin.

837 ▸ Incursões dos vikings na baía de Dublin. Eles atacam o assentamento monástico de Dubh Linn ("lago escuro", origem do nome inglês da cidade) e tomam a área em volta.

902 ▸ Derrotados em batalha pelo rei de Leinster, os vikings se retiram, voltando em 917 para reestabelecer Dublin como centro comercial, e construindo casas de madeira no atual Wood Quay e arredores.

1014 ▸ O Alto Rei da Irlanda Brian Ború derrota os vikings na batalha de Clontarf, morrendo no decorrer da luta, mas sua vitória leva à assimilação dos nórdicos na cultura irlandesa.

1170 ▸ Disputas entre os próprios irlandeses levam o derrotado rei de Leinster, Dermot MacMurrough, a buscar a ajuda do rei inglês Henrique II para retomar o trono. Henrique oferece o auxílio de Richard Fitzgilbert de Clare (Strongbow), cujo exército de cavaleiros galeses recupera as terras de MacMurrough. Henrique então vai de barco até Dublin para assumir ascendência sobre a Irlanda, garantindo direitos sobre a cidade em desenvolvimento e estabelecendo uma corte ali.

1348 ▸ Espalhando-se pela Europa, a pandemia da peste negra (uma forma virulenta da peste bubônica) atinge Dublin. Surtos similares, embora menos devastadores, irão afetar a cidade pelos 300 anos seguintes.

1487 ▸ O clã dos Fitzgerald (condes de Kildare), força dominante na política irlandesa, ocupa Dublin durante as Guerra das Rosas. Com dez anos de idade, Lambert Simnel é proclamado rei da Inglaterra e coroado na Christ Church Cathedral, mas a rebelião dos Fitzgerald é logo sufocada por Henrique VII.

1534 ▸ Outro Fitzgerald, Silken Thomas, sitia Dublin supondo erradamente que seu pai havia sido preso pelos ingleses ao ir para Londres. Uma grande força enviada por Henrique VIII dispersa a rebelião, e um governo direto é imposto, com a nomeação de Leonard Grey como Lorde Delegado da Irlanda.

1592 ▸ O Trinity College é fundado por Elizabeth I como uma universidade para os filhos da elite protestante.

1649 ▸ Um exército de coalizão de católicos irlandeses e partidários do rei é derrotado pela guarnição parlamentarista de Dublin na batalha de Rathmines.

1742 ▸ Estréia do *Messias* de Handel em Dublin.

1757 ▸ É criada a Comissão das Ruas Amplas para promover a recuperação da cidade. Segue-se o auge da construção de edifícios georgianos na cidade. Nas décadas seguintes, foram erguidos o City Hall, o Four Courts e a Custom House, assim como a fachada oeste do Trinity College.

1791 ▸ É fundada em Belfast, por protestantes de classe média, a

Society of United Irishmen, que logo atrai amplo apoio por suas reivindicações de reformas democráticas e emancipação católica.

1793 ▸ Depois que a Inglaterra declara guerra à França, a Irlanda procura ajuda dos franceses para a sua independência, e um advogado de Dublin, Theobald Wolfe Tone, é enviado a Paris para solicitar ajuda militar.

1798 ▸ Uma grande rebelião irlandesa é brutalmente sufocada pelos ingleses. A maioria de seus líderes é capturada e Tone prefere suicidar-se na prisão do que ser executado.

1801 ▸ O Ato de União dissolve o parlamento de Dublin. É reinstalado um governo direto da Inglaterra sobre a Irlanda.

1803 ▸ Robert Emmet lidera uma rebelião mal organizada em Dublin, que é logo derrotada.

1829 ▸ O Parlamento inglês garante a emancipação católica.

1840 ▸ Daniel O'Connell é eleito primeiro prefeito católico de Dublin. Em seus comícios, incita os irlandeses a repudiarem o Ato de União, o que resulta em sua prisão por sublevação.

1845–1851 ▸ A safra irlandesa de batatas, principal fonte de sustento para muitos de seus 8,5 milhões de habitantes, é devastada por praga. Segue-se a Grande Fome, que acarreta a morte de 1,5 milhão de pessoas, e a emigração de um número equivalente para a Inglaterra, América e Austrália.

1882 ▸ A campanha pelo Home Rule (autogoverno) fica comprometida quando dois oficiais do governo britânico são assassinados no Phoenix Park.

1904 ▸ Fundada por W. B. Yeats e Lady Gregory, o Abbey Theatre encena sua primeira montagem.

1912 ▸ A lei do Home Rule é aprovada pelo Parlamento britânico, mas suspensa quando eclode a guerra com a Alemanha em 1914.

1916 ▸ Rebeldes irlandeses liderados por Pádraig Pearse e James Connolly tomam edifícios do governo na segunda de Páscoa, e Pearse comunica a Proclamação da República Irlandesa da escadaria do General Post Office. No entanto, após seis dias de lutas, os líderes se rendem e são executados, exceto Éamon de Valera, que tem cidadania norte-americana.

1918 ▸ O Sinn Féin obtém ampla vitória nas eleições gerais, mas seus membros se recusam a tomar assento em Westminster, e se congregam em Dublin no Dáil Éireann ("Parlamento da Irlanda"), emitindo uma declaração de independência.

1919 ▸ Segue-se uma sangrenta Guerra de Independência em setembro, até que é declarada uma trégua em 1921.

1921 ▸ Realizadas eleições para o novo Parlamento com sede em Dublin, com outra vitória do Sinn Féin. De Valera pede a criação de um estado de 32 condados, mas a delegação que ele envia a Londres é forçada a aceitar a divisão. O Tratado Anglo-Irlandês, assinado em dezembro, garante a independência da Irlanda, às custas da divisão do país.

1922 ▸ Inicia-se uma feroz Guerra Civil entre forças favoráveis e contrárias ao tratado. Há lutas nas ruas de Dublin e pelo país, mas os republicanos acabam se rendendo em maio de 1923. Enquanto isso, em Paris, é publicado o *Ulisses* de James Joyce.

1926 ▸ De Valera sai do Sinn Féin e funda o Fianna Fáil ("Soldados do Destino") como partido político republicano separado. É criada a Radio Éireann.

1938 ▸ Douglas Hyde torna-se o primeiro presidente da Irlanda e passa a ocupar o antigo alojamento do vice-rei no Phoenix Park, hoje conhecido como Áras an Uachtaráin.

1948 ▸ Um governo de coalizão liderado pelo partido Fine Gael aprova o Republic of Ireland Act, estabelecendo o país como uma república a partir do ano seguinte.

1953 ▸ É construído o terminal rodoviário central de Busáras, que se torna o primeiro edifício modernista da capital.

1966 ▸ Os republicanos explodem a Coluna Nelson na O'Connell Street para celebrar o quinquagésimo aniversário do Levante da Páscoa.

1972 ▸ Desordeiros atacam e incendeiam a Embaixada Britânica em Dublin em protesto contra a morte a tiros de treze civis por soldados britânicos em Derry, no Bloody Sunday (Domingo Sangrento).

1974 ▸ À medida que crescem as Troubles (Distúrbios) na Irlanda do Norte, os legalistas detonam carros-bomba em Dublin, matando 26 pessoas.

1976 ▸ O baterista de 14 anos de idade Larry Mullen forma uma banda em sua escola de Clontarf, que irá mudar várias vezes de nome, de Feedback a The Hype, antes de se firmar finalmente como U2. A banda lança seu primeiro álbum em 1979.

1979 ▸ O papa João Paulo II visita a Irlanda e reza missa para mais de 1 milhão de pessoas no Phoenix Park.

Anos 1990 ▸ Após uma década de recessão, a economia da Irlanda passa a crescer acentuadamente, ganhando o apelido de "tigre celta". A cidade tem um grande surto de obras de construção civil, e a mudança mais visível é a remodelação de Temple Bar.

1991 ▸ Mary Robinson torna-se a primeira mulher a ocupar a presidência da Irlanda.

1994 ▸ O festival de música Eurovision Song Contest, realizado em Dublin, inclui um espetáculo de sete minutos com uma fusão de dança tradicional e música atual, origem de um show chamado *Riverdance*, que se torna uma fenômeno internacional.

Anos 2000 ▸ A vida política irlandesa é assolada por uma série de escândalos envolvendo corrupção financeira nos altos escalões. É criada a Comissão Flood para investigar as irregularidades.

2007 ▸ O dublinense Bertie Ahern, líder do Fianna Fáil, torna-se o primeiro Taoiseach (primeiro-ministro) irlandês a vencer três eleições gerais sucessivas.

Idioma

Idioma

O irlandês (gaélico irlandês) é um idioma falado como língua nativa por cerca de 104 mil pessoas, a maioria nas zonas rurais da ilha da Irlanda. O irlandês era a língua principal da ilha antes de os ingleses conquistarem-na durante a Idade Média. A partir de 1922, com a independência da República da Irlanda, o irlandês e o inglês passaram a ser os idiomas oficiais do país. Mas você pode se comunicar em inglês com todo mundo.

Pronúncia

Em inglês há muitos sons diferentes do português. Lembre-se de que:

- **a** pode ter som de "ei" (name), "a" (an), "á" (bar) ou "ó" (tall)
- **e** pode ter som de "i" (me), "é" (bed) ou "â" (her)
- **i** pode ter som de "ai" (time) ou "i" (pin)
- **o** pode ter som de "ou" (rope), "ó" (not) ou "u" (move)
- **u** pode ter o som de "iu" (union), "â" (tub) ou "u" (bull)
- **y** tem o som de "i" (year) ou "ai" (my)
- **ch** pronuncia-se como "tch" (much)
- **g** antes de "e" e "i" em geral tem o som de "dj" (danger)
- **h** em geral é aspirado (help)
- **j** tem o som de "dj" (just)
- **ng** esta terminação é nasal, mas o "g" final não é pronunciado
- **qu** tem o som de "ku" (quick)
- **r** como em "sorry", tem um som próximo ao do "r" seguido de consoante pronunciado em certas regiões do interior paulista
- **sch** tem o som de "sk" (school)
- **sh** tem o som de "ch" (sharp)
- **th** pode ter som de "d" (this) ou de "f" (thanks), falado com a língua entre os dentes
- **w** tem o som de "u" (wine), mas é mudo antes de "r" (write) e "ho" (who)

Palavras e frases

Expressões básicas

Sim, Não **Yes, No**
Por favor **Please**
Obrigado/a **Thank you**
Com licença **Excuse me**
Desculpe-me **Sorry**
Olá **Hello**
Alô (telefone) **Hello**
Até logo **Goodbye**
Bom dia **Good morning**
Boa tarde **Good afternoon**
Boa noite **Good evening/good night**
Como vai? **How are you?**
Bem, obrigado/a **Fine, thanks**
Eu não sei **I don't know**
Fala inglês? **Do you speak English?**
Como se diz... em inglês? **How do you say... ... in English?**
Qual o seu nome? **What's your name?**
Meu nome é... **My name is...**
Sou brasileiro/a **I'm Brazilian**
Tudo bem, de acordo **OK/agreed**
(Não) Entendo **I (don't) understand**
Pode falar mais devagar? **Can you speak more slowly?**
Hoje **Today**
Ontem **Yesterday**
Amanhã **Tomorrow**
De manhã **In the morning**
De tarde **In the afternoon**
À noite **In the evening**
Agora, mais tarde **Now, later**
Aqui, lá **Here, there**
Este/a, aquele/a **This one, that one**
Aberto/a, fechado/a **Open, closed**
Grande, pequeno/a **Big, small**
Mais, menos **More, less**

Um pouco, muito A little, a lot
Metade Half
Barato, caro Inexpensive, expensive
Bom/boa, ruim Good, bad
Quente, frio Hot, cold
Com, sem With, without

Perguntas

Onde? Where?
Como? How?
Quantos/as? How many?
Quanto custa isto? How much is it?
Quando? When?
Por quê? Why?
A que horas? At what time?
O que é...? What is...?
Qual é...? Which is...?

Como circular

Como se chega a...? Which way is it...?
Onde fica a estação de metrô mais próxima? Where is the nearest metro station?
Ônibus Bus
Ponto de ônibus Bus stop
Trem Train
Barco Boat
Avião Plane
Estação de trem Railway station
Plataforma Platform
A que horas sai? What time does it leave?
A que horas chega? What time does it arrive?
Uma passagem para… A ticket to…
Passagem de ida Single ticket
Passagem de ida e volta Return ticket
Aonde você vai? Where are you going?
Vou para... I'm going to…
Quero descer em... I want to get off at…
Perto, longe Near, far
Esquerda, direita Left, right

Hospedagem

Um quarto A room
... de solteiro/ para duas pessoas ... for one/ two people
... com cama de casal ... with a double bed
... com chuveiro ... with a shower
... com banheira ... with a bath
... para uma/duas/ três noites ... for one/two/ three nights
... com vista ... with a view
Chave Key
Passar a ferro To iron
Lavar a roupa Do laundry
Lençóis Sheets
Cobertores Blankets
Calmo, barulhento Quiet, noisy
Água quente Hot water
Água fria Cold water
O café-da-manhã está incluído Is breakfast included?
Gostaria de tomar o café-da-manhã I would like breakfast
Não quero café-da-manhã I don't want breakfast
Albergue da juventude Youth hostel

Comer fora

Gostaria de reservar I'd like to reserve
... uma mesa … a table
... para duas pessoas … for two people
... às oito e trinta … at eight thirty
Vou querer o menu de $15 I'm having the fifteen dollars menu
Garçom! Waiter!
A conta, por favor The bill, please

Dias da semana

segunda-feira Monday
terça-feira Tuesday
quarta-feira Wednesday
quinta-feira Thursday
sexta-feira Friday
sábado Saturday
domingo Sunday

Números

1	one	21	twenty-one
2	two	22	twenty-two
3	three	30	thirty
4	four	40	forty
5	five	50	fifty
6	six	60	sixty
7	seven	70	seventy
8	eight	80	eighty
9	nine	90	ninety
10	ten	100	one hundred
11	eleven	101	one hundred and one
12	twelve	110	one hundred and ten
13	thirteen	200	two hundred
14	fourteen	1,000	one thousand
15	fifteen	2,000	two thousand
16	sixteen	50,000	fifty thousand
17	seventeen	100,000	one hundred thousand
18	eighteen		
19	nineteen	1,000,000	one million
20	twenty	0	zero

Cardápio

Vocabulário básico

breakfast café-da-manhã
lunch almoço
dinner jantar
snack lanche, refeição ligeira
starter entrada, antepasto
main course prato principal
side dishes acompanhamentos
dessert sobremesa
menu cardápio
set menu cardápio do dia
individually priced dishes menu à la carte
cup xícara
glass copo, taça
fork garfo
knife faca
spoon colher
plate, dish prato
serviette guardanapo
bread pão
butter manteiga
cheese queijo
eggs ovos
milk leite
organic orgânico/a
pepper pimenta
salt sal
sugar açúcar
baked assado/a
fried frito/a
grilled grelhado/a
raw cru/a (carne, legume)
roast assado/a
sauce molho
savoury, sweet salgado/a, doce
smoked defumado/a
spicy, hot picante, apimentado
steamed no vapor
takeaway, to go para levar, para viagem

Bebidas

beer cerveja
bottle garrafa
coffee (espresso) café (expresso)
fizzy water água com gás
glass copo
mineral water água mineral
red/white wine vinho tinto/branco
still water água sem gás
white coffee café com leite
wine vinho
wine list carta de vinhos

Peixes, frutos-do-mar

anchovie anchova
cod bacalhau
crab caranguejo
crayfish lagostim
hake badejo
halibut linguado-gigante
herring arenque
lobster lagosta
mullet tainha
mussel mexilhão
octopus polvo
oyster ostra
salmon salmão
sea bass perca
shellfish marisco
sole linguado
shrimp/prawn camarão
squid lula
tuna atum
trout truta

Carnes, aves

barbecue churrasco
beef carne bovina
chicken frango
duck pato
entrecôte costeleta de boi
game carne de caça
ham presunto
hare lebre
kidney rim
lamb carneiro
liver fígado
pork porco
pork chop costeleta de porco
pork rib costela de porco
quail codorna
rabbit coelho
rib costela de porco
roast-beef rosbife
roast meats assados (carnes assadas)
sausage linguiça
sirloin steak bife de filé mignon
steak bife, filé
tenderloin lombo
tripe tripa, dobradinha
turkey peru
veal vitela

Bifes

raw cru
rare malpassado
medium ao ponto
well done bem passado

Legumes, verduras e especiarias

artichoke alcachofra
asparagus aspargo
aubergine, eggplant berinjela
basil manjericão
beans feijão
beet, beetroot beterraba
black pepper pimenta-do-reino
cabbage repolho
caper alcaparra
carrot cenoura
cauliflower couve-flor
celery salsão
chickpea grão-de-bico
chicory chicória
cinnamon canela
corn milho
courgette abobrinha
cucumber pepino
fennel erva-doce
garlic alho
gherkin pepininho em conserva
ginger gengibre
green salad salada verde
leek alho-poró
lentil lentilha
lettuce alface
mustard mostarda
mushrooms cogumelos
onion cebola
parsley salsa
pea ervilha
pepper pimenta
potato batata
pumpkin abóbora
radish rabanete
rice arroz
saffron açafrão
shallot cebolinha
spinach espinafre
sweet pepper pimentão
tarragon estragão
tomato tomate

Frutas e frutos secos

almond amêndoa
apple maçã
apricot damasco, abricó
avocado abacate
banana banana
cherry cereja
chestnut castanha portuguesa
fig figo
grape uva
grapefruit toranja
hazelnut avelã
lemon limão-galego
lime limão (verde)
melon melão
nuts nozes
orange laranja
peach pêssego
peanut amendoim
pear pêra
pineapple abacaxi
plum ameixa
raspberry framboesa
strawberry morango
watermelon melancia

Lanches

black pudding morcela (tipo de chouriço)
cold meats frios
cucumber sandwich sanduíche de pepino
fish and chips peixe empanado com batatas fritas
fried eggs with bacon ovos fritos com bacon
ham omellete omelete de presunto
omellete omelete
ploughman's lunch pão crocante, queijo e picles doces
scrambled eggs ovos mexidos
steak and kidney pie torta recheada de carne bovina e rins
shepherd's pie torta de carne ovina servida com purê de batata
Yorkshire pudding bolinho de massa que acompanha carnes

Sobremesas e doces

brownie bolo de chocolate com nozes ou castanha
cakes bolos em geral
cookies biscoitos amantegados
ice cream sorvete
muffin bolinho à base de farinha que pode ser doce ou salgado
pancake panqueca, em geral doce
puddings tortas doces ou salgadas
scone mistura de bolo e pão doce servido com geléia e creme
swiss roll rocambole
yogurt iogurte

Créditos e índice

Um guia rudimentar para os Rough Guides

No verão de 1981, Mark Ellingham, um recém-formado da Universidade de Bristol, estava viajando pela Grécia e não conseguia encontrar um guia que realmente atendesse às suas necessidades. Mark e um pequeno grupo de escritores decidiram criar seu próprio guia de viagens, que pretendia fazer descrições em linguagem jornalística combinadas com uma extensiva abordagem prática para suprir as necessidades dos viajantes. Aquele primeiro Rough Guide foi um projeto estudantil que se tornou um fenômeno editorial. Atualmente os guias fornecem recomendações de hospedagens rústicas a luxuosas e cobrem centenas de destinos pelo globo, inclusive quase todos os países das Américas e da Europa, mais de metade da África e quase toda a Ásia e a Oceania. Milhões de leitores apreciam a perspicácia e a curiosidade dos guias, assim como sua abordagem crítica e entusiástica. Nossa crescente equipe de autores e fotógrafos está espalhada por todos os lugares.

Visite o site em inglês www.roughguides.com para conhecer nossas mais recentes publicações.

As imagens estão disponíveis para licenciamento comercial em www.roughguidespictures.com

Expediente

Traduzido a partir da edição original do Rough Guide Directions Dublin (2ª edição) publicada por Rough Guides Ltd, 80 Strand, London WC2R 0RL, em 2008. Título original: Rough Guide Directions: Dublin

ISBN 978-85-7402-944-3

PUBLIFOLHA
Divisão de Publicações da
Empresa Folha da Manhã S.A.
Al. Barão de Limeira, 401, 6º andar,
CEP 01202-900, São Paulo, SP
Tel.: (11) 3224-2186/2187/2197
www.publifolha.com.br

Coordenação do projeto:
PUBLIFOLHA
Assistência editorial: Camila Saraiva
Produção gráfica: Soraia Pauli Scarpa
Assistência de produção gráfica: Mariana Metidieri

Produção editorial:
Editora Página Viva
Tradução: Luis Reyes Gil
Edição: Marina Amaral
Revisão: Maria Sylvia Corrêa
e Shirley Gomes

Impresso pela Cromosete em agosto de 2008 sobre papel couché fosco 115 g/m²

ROUGH GUIDES
Edição: Natasha Foges
Diagramação: Ankur Guha
Fotografias: Michele Bhatia, Mark Thomas
Cartografia: Jasbir Sandhu
Edição de imagem: Mark Thomas
Revisão: Camila Cooke
Produção: Rebecca Short
Capa: Chlöe Roberts

Dados Internacionais de Catalogação na Publicação (CIP)
(Câmara Brasileira do Livro, SP, Brasil)

Gray, Paul-
Dublin : o guia da viagem perfeita /
escrito e pesquisado por Paul Gray e Geoff Wallis ;
[tradução Luis Reyes Gil]. -- São Paulo:
Publifolha, 2008. -- (Rough Guide Directions)

Título original: Directions Dublin
ISBN 978-85-7402-944-3

1.Dublin (Irlanda) - Descrição e viagens -
Guias I. Wallis, Geoff. II. Título. III. Série.

08-05963 CDD-914.41835

Índices para catálogo sistemático:
1. Dublin : Irlanda : Guias de viagem 914.41835
2. Guias de viagem : Dublin : Irlanda 914.41835

Foi feito o possível para garantir que as informações deste livro fossem as mais atualizadas disponíveis até o momento da impressão. No entanto, alguns dados como telefones, preços, horários de funcionamento e informações de viagem estão sujeitos a mudanças. Os editores não podem se responsabilizar por qualquer consequência do uso deste guia, nem garantir a validade das informações contidas nos sites indicados.

Os leitores interessados em fazer sugestões ou comunicar eventuais correções podem escrever para a Publifolha, Al. Barão de Limeira, 401, 6º andar, CEP 01202-900, São Paulo, SP, enviar um fax para: (11) 3224-2163 ou um e-mail para: atendimento@publifolha.com.br

Os autores

Paul Gray visita Dublin regularmente desde 1990 e morou na cidade por três anos, até 2004. Ele é co-autor do *Rough Guide Irlanda* e *do Rough Guide Tailândia*, e editou e colaborou com muitos outros guias, incluindo a atualização da sua nativa região Nordeste para o *Rough Guide Inglaterra*.
Geoff Wallis é escritor freelancer especializado em viagens, música e esportes e colaborador regular de revistas como *Roots, Songlines e When Saturday Comes,* assim como de diversos jornais irlandeses e do Reino Unido. Co-autor de *Rough Guide Irlanda, Rough Guide Música Irlandesa* e *Rough Guide Diversão Familiar na Irlanda,* também compilou vários CDs comerciais de música irlandesa. Ele mora na tranquilidade do campo na Irlanda e escreve atualmente outro livro sobre música tradicional.

Agradecimentos

Os autores agradecem a: Emma Gorman e John Lahiffe da Tourism Ireland; Sinead Barden e Sam Johnston da Dublin Tourism; Heritage Ireland; Heritage Island; e ao nosso editor, Natasha Foges. Paul também agradece a: Jacobs Inn, the Merrion and the Shelbourne; Alexia, Andy, Sarah, John e Kate Grier; e Bill Gray.
Geoff agradece também a: Joanie McDermott, Finbar Boyle, Éamonn Jordan e Mireille Cambier.

Créditos das fotos

Capa: Barris, na Guinness Storehouse © Chloë Roberts.
Quarta capa: Ônibus, O'Connell Street © Michelle Bhatia/Rough Guides
pág. 5 O Rio Liffey à noite © Jon Arnold Images/ Alamy.
pág. 13 *The Singing Horseman*, Jack B Yeats © The National Gallery of Ireland/DACS.
pág. 13 Colar de ouro, Glensheen, Co Clare Cortesia do National Museum of Ireland.
pág. 13 *Akbar discursa com dois sacerdotes em Narsingh, India* © Chester Beatty Library.
pág. 14 Bloomsday © Richard T Nowitz/Corbis.
pág. 17 Ostras © Rougemont Maurice/Corbis.
pág. 19 U2 © Getty Images.
pág. 21 Newman House. Cortesia da Newman House.
pág. 28 Glendalough © Atlanpic/Alamy.
pág. 32 Máscara mortuária de Robert Emmet. Cortesia do National Museum of Ireland.
pág. 34 Merrion Hotel spa. Cortesia do Merrion Hotel.
pág. 35 Interior, Restaurante Patrick Guilbaud. Cortesia do Restaurant Patrick Guilbaud.
pág. 35 The Clarence. Cortesia do The Clarence.
pág. 36 Nadando na Forty Foot Pool © Michael St Maur Sheil/Corbis.
pág. 37 Maçarico © David Tipling/Alamy.
pág. 38 Maratona de Dublin © Brandon Moran/ Sportsfile.
pág. 38 Rúgbi em Donnybrook © Sportsfile.
pág. 39 Irish Greyhound Derby © Ray McManus.
pág. 39 Hurling no Croke Park © Ray McManus.
pág. 39 Corridas de Leopardstown © Matt Browne/ Sportsfile.
pág. 43 *Eye of the Storm,* por Michael Craig-Martin ©Coleção Irish Museum of Modern Art.
pág. 43 *Sem título* (figura ajoelhada – vista posterior) por Francis Bacon © Espólio de Francis Bacon.
pág. 46 Billy Goats. Cortesia do Lambert Puppet Theatre.
pág. 47 Menino com girassol no Ark. Cortesia do Ark.
pág. 47 Dublinia. Cortesia de Dublinia.
pág. 50 Powerscourt © Si Howard/Alamy.
pág. 51 Vista da chaminé de Smithfield © David Sanger Photography/Alamy.
pág. 54 *Nora e as crianças*, The Abbey Theatre. Cortesia do Abbey Theatre.
pág. 55 Exterior do Gate Theatre. Cortesia do Gate Theatre.
pág. 55 Interior do Helix. Cortesia do Helix.
pág. 55 O Project Arts Centre. Cortesia do Project Arts Centre.
pág. 57 Docklands Maritime Festival © The Docklands Maritime Festival
pág. 57 Dún Laoghaire Festival de Culturas © Kennedy Photography/Alamy
pág. 57 Diversions Festival, Temple Bar. Cortesia do Temple Bar Properties Ltd.
pág. 57 RDS Horse Show. Cortesia do RDS Horse Show.
pág. 58 Mercado de cavalos de Smithfield © Network Photographers/Alamy.
pág. 58 Artista de rua na Grafton Street © Peter Titmuss/Alamy.
Pág. 60 Porta georgiana © Mark Thomas/Axiom.
pág. 111 Túmulo de Strongbow © Christ Church

Cathedral/DK Images.
pág. 112 Rua medieval movimentada © Dublinia.
pág. 116 O Market Arcade © DK Images.
pág. 119 Interior, Odessa © Isabelle Coyle.
pág. 120 Interior, Uki-yo. Cortesia de Uki-yo.
pág. 124 Guinness Storehouse. Cortesia da Guinness Storehouse.
pág. 151 Lustre, National Museum of Ireland © Interphoto/Alamy.
pág. 157 Lareira do Blue Room, Farmleigh. Cortesia de Farmleigh, Phoenix Park.
pág. 163 Dalkey © DK Images.
pág. 173 National Sea Life Centre, Bray © Kevin Eaves.
pág. 176 Cachoeira de Powerscourt © Richard Cummins/Corbis.
pág. 178 Torre redonda, Glendalough © DK Images.
pág. 179 Russborough House © DK Images.
pág. 180 Fachada, Castletown House © Richard Cummins/Corbis.
pág. 181 Escadaria, Castletown House © DK Images.
pág. 183 O monte principal e pedras de apoio de Knowth © Martin Norris/Alamy.

Índice

Os mapas estão marcados em cor

n

o

p

r